河出文庫

哲学はこんなふうに

A・コント＝スポンヴィル
木田元／小須田健／C・カンタン 訳

河出書房新社

哲学はこんなふうに　目次

哲学はこんなふうに

序文

「哲学とは、（たんなる知識ではなく）叡智の教えでありその実践だ」――カント

哲学するとは自分で考えることだ。だが、それがうまくできるようになるには、まずはほかのひとたちの、とりわけ過去の偉大な哲学者たちの思想に頼らざるをえない。哲学は場あたりの思いつきにすぎないものではなく、さまざまな努力や読書や道具なしにはたちゆかないひとつの作業でもある。だが、その最初の数歩を踏みだすのが難儀で、それ以上に進む気をなくしてしまうひとが多い。だからこそぼくは、数年前から『哲学手帳』を出そうという気になったのだ。考えたのは、哲学の手ほどきとなる十二冊の見本帳をつくることだった。その一つひとつは、ごく短い四十ほどの古典からの抜粋と数ページの序文からなっている。これらの序文でぼくが試みたのは、あれこれの概念について、ぼくから見てポイントだと思われる点を述べることだった……。

この本は、それら十二の序文を見なおし、ほんの少し書きたして、まとめたものだ。狙いは依然としてささやかなところにあり、いわばほかにも無数にありうる入口のひとつを通って、哲学へご案内しようということでしかない。この本を読みおえたあと、

――これは遅かれ早かれしなければならないことだが――自分でさまざまな本の発見に旅だち、お望みなら自分なりの選集《アンソロジー》をつくってみるという仕事は読者におまかせしよう……。哲学の二千五百年は、無尽蔵の宝庫だ。このささやかな本が少しでも読者を、もっとこの宝庫に近よってのぞいてみたいという気にさせることができるなら、そして読者がそこに喜びや光明を見いだす助けとなることができるなら、この本を書いたのも無駄ではなかったことになろう。

読者として、当初ぼくが想定していたのは若いひとたちだったが、もらった手紙から、その幅がもっと広いことに気づかされた。それでも、どういう例を選ぶか、どういう観点、どういう語り口を選ぶか、ときには、あれこれの見方のうちでどれを強調するかといった点にかんしては、最初に採った方針を貫いた。この本でぼくが〈きみ－ぼく〉といったくだけた口調を採ることにしたのも、同じ理由からだ――おそらくぼくの念頭にあったのが、きみ呼ばわりなどしたことのない自分の生徒や学生などではなく、いままさに思春期にさしかかっているぼく自身の子どもだったからだろう。全体を見なおしてみても、こうした筆致を変える必要があるとは思われなかった。哲学するのに歳は関係ない。若いひとたちのほうが、大人よりも付きそいを必要とするということはあるかもしれないが。

哲学とはなにか。これについては、これまでも繰りかえし説明してきたが、以下の十二章の最後の章でも説明をしておいた。哲学は科学ではないし、認識でさえない。哲学とはもうひとつおまけに付けくわわってくる知ではなく、入手可能なもろもろの知についての考察だ。だからこそ、カントの言ったように、哲学を学ぶことはできないのであり、学ぶことができるのは哲学することだけだ。どうやって学ぶのか。みずから哲学することによってだ。自分自身の思考やほかの人びとの思考について、世界や社会について、経験がぼくたちに教えてくれることがらや、経験がぼくたちに教えてくれないことがらについて自問してみることによってだ……。その過程で、あれこれのプロの哲学者の著作にであうのは望ましいことだ。それによって、もっとよく、いっそう力強く、さらに深く、しかもずっと遠いさきまで考えられるようになるのだから。これもカントのことばだが、そうした著者にしても「判断のモデルとみなされるべきではなく、たんにその哲学者に賛成するもしくは反対する判断を自分でくだすためのひとつの機会とみなされるべきだ」。だれもぼくたちに代わって哲学することなどできはしない。もちろん哲学には、専門家もいればプロもいるし、教育者もいる。だが、そもそも哲学そのものは、専門技能でも、熟練を要する技術でも、大学のなかだけで教えられる科目でもない。哲学は人間の実存を構成するひとつの次元だ。ぼくたちに生と理性とが授けられている以上、この二つの能力をどう嚙みあわせるかという問いは、ぼくたち全員に避けようもなく課されている。むろん、哲学などしなくとも理性をはたらかせることはできるし（たとえば科学においておこなわれているように）、哲学などしなくとも生きてゆける（たとえば愚鈍なままにあるいは情念のままに生きることはできる）。だが、哲学しなければ、自分がどう生きるかを考えることも、自分の考えたとおりに生きることもできない。それこそが哲学なのだから。

生物学はけっして生物学者に、どう生きるべきか、はたして生きるべきかどうかを、あるいは生物学に携わるべきかどうかをさえ教えてはくれない。もろもろの人間科学はけっして、人間性とはどれほどのものかも、当の人間科学がどれほどのものであるのかも語ってはくれない。だからこそ、つまりぼくたちがなにを知っており、どう生きるのか、そしてなにを望んでいるのかを考察する必要があるからこそ、そして、どんな知にもこの役目は務まらず、どんな知もぼくたちからこの役目を免除してはくれないからこそ、哲学する必要がある。芸術や宗教や政治にその役目が務まるだろうか。これらはそれぞれに偉大なものではあるが、それらもまた問いかけられるべき対象だ。でも、それらに問いかけてみれば、あるいはそれらについてもう少し深く自問してみれば、そのときぼくたちは、わずかなりともそれらの外に出て、すでに哲学への一歩を踏みだしていることになる。哲学がこれはこれでまた問いかけられるべきものであることに異議を唱える哲学者はいないだろう。だが、哲学に問いかけることは、哲学の外に出ることではなく、哲学のなかへ入ってゆくことだ。

どのような道を通って、そこへ入ってゆくのだろう？　ぼくがここでたどってみせたのは、ぼくがきちんと知っているただひとつの道、すなわち西洋哲学という道だ。こう言ったからといって、そのほかの道がないわけではない。哲学するとは、普遍的なものである理性をはたらかせて生きることだ。だとしてみれば、哲学がだれかの占有物になるなんてことが、どうしてありえよう。とりわけ東洋には、西洋とは異なる思弁的・精神的伝統のあることを、知らない者はいない。だが、すべてを語りつくすことなどできはしないし、ぼくが、大部分ひとづてに聞きかじっただけの東洋思想を紹介するふりをしてみたって、滑稽なだけだろう。哲学がもっぱらギリシアと西洋だけのものだとは、ぼくも思っていない。だが、西洋にはギリシア以来、巨大な哲学的伝統があって、それがぼくたちの伝統でもあるということには、だれもと同じく、ぼくもはっきりとした確信をもっている。そんなわけで、ぼくが本書の読者を案内しようと思うのもこの伝統へであり、この伝統のうちへだ。この入門書は、文章は簡潔だが、その陰に隠れている野心はとてつもなく大きい。だから、一つひとつの文章の不完全さは大目に見ていただきたい。入門書に不完全さはつきものなのだから。

理性をはたらかせて生きる、とさきほど言った。ここからひとつの方向が指示される。それこそが哲学の方向にほかならないのだが、それで哲学の内容までもが汲みつくされることにはならない。哲学とは徹底した問いかけであり、（科学とはちがって、あれこれの特殊な真理のではなく）普遍的で究極の真理の探究であり、さまざまな概念を創造し活用するいとなみであり（むろん、ほかの学問でも同じことがおこなわれてはいるが）、反省することであり（精神や理性を介しておのれ自身へたちかえること、つまりは思考についての思考）、おのれ自身の歴史と人類の歴史とについての省察であり、可能なかぎり最高度の一貫性と可能なかぎり最高度の合理性とをそなえた探究であり（だから、お望みなら理性をうまく使う術《すべ》だと言ってもよいが、それは最後にはよく生きる術《すべ》にゆきつく）、ときには体系構築であり、たいていはさまざまな主張や論証や理論をしあげるいとなみだ……。だが、哲学はまた、おそらくはなによりもまず、さまざまな幻想や偏見やイデオロギーの批判だ。あらゆる哲学は闘いだ。その武器は？　理性。その敵は？　愚かさや狂信、蒙昧主義——あるいは鵜呑みにされた他人の哲学。その盟友は？　もろもろの科学。その対象は？　万物、ただし人間もふくめての。あるいは人間、ただし万物のうちにあるかぎりでの。その目標は？　叡智ないし幸福。ただし、真理のうちにあるかぎりでの叡智であり幸福だ。よく言われるように、やるべき課題は山盛りだ。なんとも結構な話だ。哲学者たちはやる気満々なのだ。

　じっさい、哲学の対象は数えきれない。人間や真理にかかわることで、哲学に無縁なものはひとつとしてない。こう言ったからといって、すべての対象が同じ重要性をもつわけではない。カントは、彼の『論理学』講義の有名なくだりで、哲学の領域を次の四つの問いにまとめている。「私はなにを知りうるか」。「私はなにをなすべきか」。「私にはなにを望むことが許されるか」。「人間とはなにか」。カントの言うところでは、「最初の三つの問いは、最後の問いに集約される」。だが、ぼくに付けくわえさせてもらえるなら、これら四つの問いはすべて、第五の、おそらく哲学的にも人間的にも一番重要な「いかに生きるか」という問いにゆきつく。この問いにまじめに答えようとすれば、それこそ哲学することになる。この問いを自分に立てないですますことはできないのだから、愚かさや蒙昧主義に陥るのでもないかぎり、哲学から逃れることはできないという結論が引きだされざるをえない。

哲学をしなければならないのだろうか。この問いを立ててしまえば、いずれにせよこの問いにまじめに答えようとすれば、すでに哲学していることになる。こう言ったからといって、哲学が自分のおこなう問いかけや自己正当化に還元されるというわけではない。なにしろ、世界、人間性、幸福、正義、自由、死、神、認識……について（理性的であると同時に徹底したたしかたで）みずからに問いかけるとき、ぼくたちは、程度に多少の差こそあれ、あるいはやりかたにうまい下手の差はあれ、すでに哲学している……。こうした問いを回避できるひとがいるだろうか。人間とは哲学する動物だ。みずからの人間性の一部を放棄するのでもないかぎり、哲学を拒否することはできない。

だからこそ、哲学しなければならない。つまり、できるかぎり遠くまで、わかるかぎりさきまで考えなければならない。どんな目標に向かってか？　もっと人間的でもっと明晰な、もっと平穏でもっと理性的な、もっと幸福でもっと自由な人生だ……。これこそが伝統的に叡智と呼ばれているものだが、そのばあいの叡智とは一片の幻想も偽りも混じっていない幸福ということになろう。そこにゆきつけるだろうか。おそらく完全にゆきつくことはけっしてできないだろう。しかし、だからといって、そのような人生をめざし、近づこうとしなくてよいということにはならない。カントによれば、「哲学とは人間にとって、叡智をめざす努力のことだが、その努力はいつまでも達成されないままだ」。だからこそ、ただちにこの努力に着手すべきだ。もっとよく生きるためには、もっとよく考えなければならない。哲学とはこの作業であり、叡智とはそこから得られる安らぎだ。

　哲学とはなにか。その答えは哲学者の数と同じくらい、あるいはそれに近いくらいある。だが、そうはいっても、それらの答えが交差することはあるし、核心へ向かって収斂してゆくこともある。ぼくに言わせてもらえば、学生の頃からエピクロスの解答が気にいっていた。「哲学とはことばと推論を用いて、われわれに幸福な生活を与えてくれるひとつの活動だ」。これは（叡智、至福という）最高の成功をおさめたばあいの哲学の定義であり、この成功がけっして全面的なものではありえないとしても、哲学をその挫折のうちに閉じこめるよりはずっとましだろう。幸福が目標だとすれば、哲学とはそこへいたる道だ。ではみなさん、どうかよい旅を。

第一章

道徳

「満足した豚であるよりは、不満足なソクラテスであるほうがましだ。満足した愚か者であるよりは、不満足なソクラテスであるほうがましだ。そして、もし豚なり愚か者なりがこれとはちがう見解をもつとしたら、それは彼らが問題の一面――つまり、自分たちにとっての側面――しか知らないということにほかならない。それに比べれば、ソクラテスはどちらの面をも知っている」――ジョン・スチュワート・ミル

道徳はしばしば誤解されている。道徳は、罪を宣告したり、弾圧したり、処罰を与えたりするためだけにあるのではない。罪を宣告するためには裁判所があり、弾圧するためには警察があり、処罰を与えるためには刑務所があるが、裁判所や警察や刑務所が道徳だとはだれも思わないだろう。ソクラテスは牢獄で死んだが、それにもかかわらず彼を裁いた人びとよりも自由だった。おそらくここでこそ、つまり、どんな罰も宣告できず、どんな弾圧も効力をもたず、いずれにせよ外から課されるどんな処罰も必要とされないところでこそ、哲学ははじまる。ぼくたち一人ひとりにとっての道徳も、ここから

はじまるのであり、なんどもはじめなおされる。道徳は、ぼくたちが自由であるところからはじまる。道徳が自分で自分に判断をくだし命令を与えるとき、道徳とはこの自由そのものにほかならない。

ギュゲスの指輪

きみが、店にあるこのレコードを、あるいはこの服を盗みたがっているとしよう。でも警備員が見はっているし、監視カメラが作動している。あるいはたんにきみは、捕らえられたり、罰せられたり、非難されたりするのが怖いのかもしれない……。そうだとすれば、きみが盗みをはたらかないのは、正直者だからではなく計算にすぎない。つまりきみは、道徳的なのではなく用心深いだけだ。警察を恐れるのは、徳とは正反対の態度であり、あえて言えば思慮深いという意味での徳にすぎない。

こんどは、プラトンが言及している有名なギュゲスの指輪をきみがもっていて、好きなときに透明になれるとしてみよう。これは、羊飼いが偶然に見つけた魔法の指輪だ。指輪の台座を手のひらの内がわに向ければ完全に透明になれるし、外がわに向ければ姿があらわれる。それまでギュゲスは正直者でとおっていたが、この指輪がそそのかす誘惑に抗《あらが》うことはできなかった。彼はこの魔法の力を使って、宮殿にもぐりこみ、王妃を誘惑し、王を暗殺して権力をわがものにし、その権力を自分のためだけに行使する。『国家』のなかでこの話を物語る人物は、そこから、善人と悪人とを、あるいは善人と思われるひとと悪人と思われるひとととを分けるのは、用心深さか偽善でしかないという結論を、言いかえれば、両者が他人の眼なざしにどれほどの重みを認めているか、あるいは自分を隠す器用さをどれほどもちあわせているかにすぎないという結論を導きだす……。もし彼らがどちらもギュゲスの指輪を手にいれたとしたら、もう両者は区別できなくなる。「彼らはいずれも同じ目的をめざすことだろう」。ここで言外に指摘されているのは、道徳など幻想や欺瞞にすぎず、徳の仮面をかぶった恐れにすぎないということだ。透明になって姿を消すことができれば、あらゆる禁止はなくなり、もはや各人には、自分の利己的な快楽や利害の追求しか残らない。

そうだろうか。もちろん、プラトンの信念はこの逆だ。だが、プラトン主義者でなければならないという義務はだれにも負わされていない……。このばあい、きみにとって意味をもつ唯一の答えはきみのなかにある。ちょっと想像してみてほしい。思考実験として、きみがこの指輪を手にいれたとしよう。きみはなにをするだろうか。なにをしないだろうか。たとえばきみは、他人の財産やプライヴァシー、他人の秘密や自由、他人の自尊心や生命を尊重しつづけるだろうか。だれもきみの代わりに答えることはできない。この問いはきみだけに、まるごとのきみにかかっている。じっさいにはやろうとは思わないにしても、もし姿が見えなければ、なんだったらやってもよいと思うか、すべては、道徳よりも用心深さや偽善に左右される。逆に、姿が見えないとしてもきみが自分に課しつづけることや自分に禁じつづけること、それも利害からではなく義務からそうすること、それだけがほんとうの道徳だ。きみの心や道徳が試されるとき、きみは自分を確認することになる。きみの道徳ってなんだろう？　きみが自分に要求するもの、それも他人の視線やあれこれの外面的な脅しによってではなく、よいことと悪いこと、すべきこととしてはならないこと、容認できることと容認できないこと、つまりは人間性ときみとについてきみがもっている考えかたに照らしてきみが自分に要求するもの、それがきみの道徳だ。具体的に言えば、きみが透明で無敵であったとしても、きみがみずからしたがおうとするもろもろの規則の全体が、きみの道徳だ。

これは大変なことだろうか。それともとるに足らないことだろうか。それを決めるのもきみだ。たとえばきみは、もし透明になれるとしたら、無実の人間が罰せられることを、友人を裏切ることを、子どもを虐待することを、暴行や拷問や殺人を容認するだろうか。どう答えるかはきみ次第だが、道徳的に見れば、どう答えるかによってきみが決まる。ところが、じっさいにはきみは指輪をもってはいない。それでも、こうしたことについて考えたり、判断をくだしたり、行動したりしないですむわけではない。卑劣漢と正直者とのあいだに見た目以上のちがいがあるとすれば、それはつまり他人の視線がすべてでも、用心深さがすべてでもないということだ。これこそが、つまり道徳はすべて他人との関係だが、それだけではなく、その上自分の自分にたいする関係でもあるということこそが、道徳の〈賭け〉であり、その最終的な孤独でもある。道徳的にふるまうとは、たしかに他人のさまざまな利害を考慮にいれることではあるが、それはプラトンのことばを借りれば、「神がみにも人間どもにも気づかれないままに」、言いかえれば、どんな報酬も懲罰も当てにすることなく、だからといって自分以外のだれかの視線を求めることもなしに、という条件においてのことだ。だが、〈賭け〉ってなんだろう？　この言いかたは不適当かもしれない。なにしろ、繰りかえして言えば、どう答えるかはきみだけにかかっているのだから。〈賭け〉というよりも選択と言ったほうがよい。きみがなにをなすべきかを知っているのはきみだけであり、だれもきみに代わって決定をくだすことはできない。ここに道徳の孤独と偉大さとがある。きみの価値は、きみがなにを善とみなして実行し、なにを悪とみなして自分に禁じるかによってのみ決まるのであり、そのときに得られる利得は、なすべきことをなす満足――きみがなにをなすべきかはきみ以外のだれも知らないにしても――だけだ。

これこそがスピノザのモットーにほかならない。「なすべきことをなして、喜びのうちに身をおくこと」。これはもっとも簡潔なモットーだ。どれほどささやかであれ自分を少しでも評価することなしに、どうやって喜びのうちにいることができるというのか。そして、自分を律し、自分の主人となり、自分に打ちかつことができずに、どうやって自分を尊重することができるというのか。よく言われるように、賭けられているのはきみだけれども、これは〈賭け〉ではないし、ましてや見世物でもない。賭けられているのはきみの人生そのものであり、きみとは、いま、ここで、きみがおこなっていることにほかならない。道徳的に見れば、もし別人であったらなどと夢想してもなんの役にもたたない。財産や健康や美しさや幸福を望むことはできる……。でも、徳を望むのはばかげている。卑劣漢であるか義人であるか、それを選ぶのはきみであり、ただきみだけにかかっている。まさにきみの値打ちは、きみがなにを望むかによって決まる。

道徳と道徳至上主義

道徳とはなんだろうか。それは、ある人間が自分に課していること、あるいは自分に禁じていることの総体だ。といっても、そんなふうに課したり禁止したりすることの目的は、なによりもまず自分の幸福や自分の満足感を増すこと——それは利己主義にしかならない——にあるのではなく、他人のもろもろの利害や権利を考慮にいれ、卑劣漢になることなく、人間性についての、さらには自分自身についてのある理念に忠実でありつづけるところにある。道徳は、「ぼくはなにをなすべきか」という問いに、こう答える。つまり、ぼくがなすべきなのは、ぼくのもろもろの義務の、言いかえればぼくが正当と認めるもろもろの命令——かりにぼくが、だれもと同様に、それを破ることがあるとしても——の全体にしたがうことだ。それは、他人の視線や、当てにしてもよいどんな報酬や、こうむるかもしれないどんな処罰とも無関係に、ぼくが自分に課す法であり、ぼくが自分に課すべき法だ。

肝心なのは、「ぼくがなにをなすべきか」であって、「他人がなにをなすべきか」ではない。この点で、道徳と道徳至上主義とが分かれる。アランによれば、「道徳はけっして隣人のためにあるのではない」。隣人の果たすべき義務のことを思いわずらう者は、道徳的なのではなく説教好きな道学者にすぎない。これ以上に不愉快な人種がいるだろうか。これ以上に空疎な言説があるだろうか。道徳は、一人称で語られるかぎりでのみ正当だ。だれかに向かって、「おまえは寛大であるべきだ」と言ったからといって、自分の寛大さの証明にはならない。「おまえは勇敢であるべきだ」と言ったからといって、自分の勇敢さの証明にはならない。道徳も義務も、当人にしか通用しない。他人には、慈悲と法律があれば十分だ。

さらに言えば、だれに他人の意図や弁明や功績を知ることができるだろうか。道徳的にはひとは、神――もし神がいるとしてのことだが――以外のだれからも裁かれえないし、さもなければ自分によってしか裁かれえない。それだけで十分生きてはゆけることだろう。きみは利己的だったことや臆病だったことはないだろうか。他人の弱みや悲嘆や善良さにつけこんだことはないだろうか。嘘をついたり、盗みをはたらいたり、暴力をふるったりしたことはないだろうか。その答えはきみにはよくわかっている。そしてきみが自分についてわかっているそのことこそが、一般に良心と呼ばれる。これこそが唯一の、どんなばあいであれ道徳的に見て唯一の裁き手であり、要をなすものだ。訴訟や罰金や刑務所にいれられることがなんだというのか。そんなものは人間どもの正義にすぎない。そんなものは法律や警察の問題でしかない。捕まっていない卑劣漢どもが、囚われの身にある勇敢なひとたちがどれほどいることか。きみは社会にたいしてなすべきことをなすことができるし、もちろんそうでなければならない。しかし、だからといって、きみが自分自身にたいして、自分の良心にたいして、なすべきことをなしているということにはならない。自分の良心にたいしてなすべきこと、それこそが真になすべきただひとつのことだ。

道徳の逆説

では、個人の数だけ道徳があるということなのか。そうはならない。そこにこそ道徳の逆説がある。道徳は、一人称にしか妥当しないものでありながら、普遍的に、言いかえるなら、すべての人間に（なにしろすべての人間がそれぞれひとりの「私」なのだから）妥当するものだ。すくなくともいつもぼくたちは、そんなふうに道徳を実感している。じっさい、受けた教育や生きている社会や時代、慣れしたしんだ環境や身をおいている文化のちがいに応じて、さまざまな道徳があることをぼくたちは知っている……。絶対的な道徳などないし、あったとしてもだれもそれには近づけない。でも、ぼくが残忍なふるまいや人種差別や殺人を自分に禁じるとき、それがたんに各人の好みに左右される趣味の問題ではないことも、ぼくにはわかっている。なによりもまずこのことこそ、社会が、すべての社会が、言いかえれば人間性ないし文明が存続し尊厳を保つための条件にほかならない。

もしだれもが嘘をついたなら、もはやだれも信じられなくなる。そうなると、もはや嘘をつくことさえできなくなり（なぜなら、嘘をつくことは、それによって破られる信頼関係があってこそ可能になるのだから）、あらゆるコミュニケーションが不条理で空疎なものになってしまう。

もしだれもが盗みをはたらいたなら、社会生活そのものが不可能になり、悲惨なものになってしまう。そうなると、もはや私有財産も、だれにとっての満足感もなくなり、盗むものさえなくなってしまう……。

もしだれもが殺人を犯したなら、人類や文明そのものが失われてしまう。そうなると、もはや暴力と恐怖しか存在せず、ぼくたちは、だれもが殺人者であると同時にその犠牲者であることになろう……。

これはたんなる仮定にすぎないが、ぼくたちを道徳の核心部へと置きいれてくれる。ある行為がよいものなのか非難されるものなのかを知りたいとしよう。それなら、だれもが自分と同じようにふるまったらどうなるかを自問してみればよい。たとえば、子どもがガムを歩道に吐きすてる。両親はその子に言うだろう。「みんなが同じことをしたら、と考えてごらん。なんて不潔だろう。おまえも不愉快になるし、みんなが不愉快になるだろう」。ましてや、だれもが嘘をつき、だれもが殺人を犯し、だれもが盗みをはたらき、他人を冒瀆し、痛めつけ、拷問にかけると想像してみよう。きみがそんな人間社会を望むなんてことがあるだろうか。きみが自分の子どもにそんな人間社会をつくれと望むなんてことがあるだろうか。そしてどうやって自分だけを、自分の望んだものから別扱いするというのか。こうしたわけで、他人がやったならきみが非難するようなことは、自分にも禁じなければならない。そうしないのなら、普遍的なものに、たとえば精神なり理性なりにしたがって自分を正当化することはあきらめなければならない。これこそが決定的な点だ。肝心なのは、万人に妥当すると、あるいは妥当すべきだと思われる法に、個人としてしたがうことだ。

　これこそが、カントの『人倫の形而上学の基礎づけ』における有名な定式である定言命法の意味だ。「自分のしたがう格率が普遍的な法となることを同時に望みうるようにしてくれる格率だけにしたがってふるまいたまえ」。これは、「愛するちっぽけな自我」よりも人類のためにふるまい、おのれの趣味や利害よりもおのれの理性に服するということだ。ある行為がよいものとなるのは、その行為のしたがう原理（つまり、その行為の格率）が権利上は万人に妥当しうるばあいだけだ。道徳的にふるまうとは、あらゆる人間が自分と同じ原理にしたがうことを、なんの矛盾もなしにきみが望みうるようにふるまうということにほかならない。これは福音書のモットーに、あるいは（ほかの宗教にもこれと等価な定式は見いだされるのだから）人間性一般のモットーにゆきつく。その「崇高な格率」を、ルソーはこう述べている。「ひとからしてもらいたいと思うとおりに、他人におこなえ」。これはまた、もっと控えめに、もっと明晰に言えば、同情にゆきつく。それもまたルソーが、こう表現している。「さきの言いかたほど完全ではないが、おそらくもっと現実的な言いかたをすれば、できるかぎり他人の不幸をすくなくすることで、自分の幸福をはかれ」。これは、すくなくとも部分的には他人にしたがって生きるということであり、あるいは自分で判断し考えたうえで、自分にしたがって生きるということにほかならない。アランは言っている。「まったくひとりで、普遍的に……」。これこそ道徳そのものだ。

　このような道徳を正当化するために理由がいるだろうか。そんな必要はないし、そればかりかできる話でもないだろう。子どもがおぼれている。その子を救うのに理由がいるだろうか。専制君主が虐殺をおこない、弾圧をおこない、拷問をおこなっている……。それに闘いを挑むのに理由がいるだろうか。理由と言いうるものがあるとすれば、ぼくたちのいだくさまざまな価値がたしかに価値であることを保証してくれるような疑いえない真理がそれにあたるだろう。そのような真理は、これらの価値を共有していないひともふくめて、ぼくたちに理があり、彼がまちがっていることを証明してくれるだろう。だが、そんな真理がありうるためには、まず理性なるものを基礎づけなければならないが、これこそがなしえないことなのだ。論証するためには前提が不可欠だが、その前にその前提を論証しなければならないとしたら、そもそも論証など可能だろうか。さらに、もろもろの価値が問題となるばあいには、なんらかの基礎が必要だが、その基礎は、自分が基礎づけてみせると称する道徳そのものを前提にしている。寛容さよりも利己主義を、真摯さよりも嘘を、優しさや慈悲よりも暴力や残忍さを優先させる人間にたいして、彼がまちがっていることをどうやって論証してみせようというのか。また論証してみせたところで、どうせ彼はそんなものを気にはかけないだろう。自分のことしか考えない者にとっては、思考など無に等しい。自分のためだけに生きる者にとっては、普遍的なものなんてどうでもよい。他人の自由や自尊心や生命を冒瀆することをいとわない者が、矛盾律など尊重するはずもない。そうであってみれば、そんな人間と闘うのに、まずもって彼を言いまかすための手段が必要だろうか。非道も悪も言いまかすべきものではない。暴力や残忍さや野蛮に対抗するためにぼくたちに必要なのは、理由や根拠ではなく勇気だ。そして自分たち自身にたいしては、理由よりも自分にたいする厳しさと誠実さだ。肝心なのは、人間性がみずからを、そしてぼくたちをこうあれとつくりあげた当のものに、ふさわしくないようなものになるまいとすることだ。そうするための理由や保証が必要だろうか。どうすればそんなものが手に入るのだろうか。意志があれば十分であり、そのほうがずっとましだ。

アランは書いている。「道徳の本領はおのれが精神であると知り、そのかぎりでおのれが絶対的に義務を負っていると知るところにある。というのも、高貴な者は高貴であることを課されているからだ。道徳のうちには、誇りの感情以外になにもない」。これは、自分のうちにある、そして他人のうちにある人間性を尊重するということにほかならない。むろん、そのためには拒否することも必要だろうし、並々ならぬ努力も必要となるだろうし、ときには闘わねばならないこともあるだろう。大事なことは、自分のうちにある考えようとしない部分を、あるいは自分のことしか考えない部分を拒否することだ。きみ自身の暴力や利己主義や野蛮さを拒否し、いずれにせよ克服してゆくことが重要だ。それこそが、きみが男であることないし女であることを欲し、男であることないし女であることにふさわしくあろうと欲するということにほかならない。

ドストエフスキーのある小説の登場人物が言うには、「神が存在しなければ、なんでも許される」。だが、そんなことはない。なぜなら、信仰をもっていようといまいと、けっしてきみは自分にすべてを許したりはしない。すべてということのなかには、最悪のこともふくまれる。そんなことまでするのは、きみにふさわしいことではない。

天国にゆける望みのあるときにしか、あるいは地獄ゆきの恐れのあるばあいにしか道徳を尊重しないような信仰者は、徳にかなっているとは言えない。そんな人間は、利己主義的で用心深いだけのことだ。カントはおおよそこんなふうに言っている。自分が救われるためにしか善をおこなわないひとは、善をおこなっているわけではなく、救われることもない、と。つまり、ある行為が道徳的に見てよいものであるのは、これまたカントが言っているように、「そうすることにたいして、なにも望まずに」その行為がおこなわれるばあいだけだ。道徳的に言うなら、ここで人びとは近代へ、言いかえれば脱宗教化（この語のよい意味での、つまり信仰をもつ者も無神論者と同じように宗教から離脱していられるという意味での）へ足を踏みいれることになる。これが啓蒙の精神であり、ベールやヴォルテールやカントの精神にほかならない。宗教が道徳を基礎づけるのではない。むしろ道徳のほうが宗教を基礎づけ正当化するのだ。ぼくがよいふるまいをしなければならないのは、神が存在するからではない。ぼくがよいふるまいをしなければならないからこそ、ぼくは神を信じる必要を感じることがあるのだ——徳にかなうためにではなく、絶望から逃れるために。神が私に命じることだから、それがよいことなのではない。その命令が道徳的に見てよいものだからこそ、それが神に由来するものではないかと想像することも可能になる。こうしたわけで道徳は、信じることを拒否するものではなく、カントが考えたように、宗教へと通じてゆくものでさえある。だからといって、道徳が宗教に依存しているわけでも、宗教に還元されるわけでもない。神が存在しないとしても、死んだ後にはなにも残らないとしても、きみが自分の義務を果たさなくてよいということにはならない、言いかえれば、人間的にふるまわなくてもよいということにはならないのだ。

モンテーニュはこう書いている。「人間らしくふるまうことほどに、美しく正当なことはない」。ただひとつの義務は、人間的であること（人間性が動物の一種にすぎないものではなく、文明の獲得物であるという意味において）であり、ただひとつの徳は人間的であることだ。だれも、きみに代わってそうなることはできない。

だが、これでは幸福の代わりにはならない。だからこそ、道徳だけですべてがすむわけではないのだ。だが、これでは愛の代わりにはならない。だからこそ、道徳がすべての核心ではないのだ。だからといって、幸福でありさえすれば道徳などいらないということにはならないし、愛さえあれば道徳などいらないということにもならない。つまり、道徳はいつだって必要なのだ。

道徳とは、きみが自由であるときに（自分の利害や恐怖に囚われたままになっているのではなく）、ほかの人びととともに自由に生きることを可能にしてくれるものだ。

道徳とは、きみに個人的に託されている普遍的な、いずれにせよ普遍化可能なこの要求にほかならない。

きみが男であれ女であれ、人間らしくふるまうことによってこそ、人間性がつくりあげられる手助けをすることができる。そして、そうでなければならない。なにしろ、きみが人間性を必要としているように、人間性のほうもきみを必要としているのだ。

第二章　政治

「政治を思考しなければならない。政治を十分に思考しなければ、われわれは手ひどく罰せられることだろう」――アラン

人間は社交的な動物だ。人間は自分の同胞たちのいる環境でしか生きられないし、成熟することもできない。

だが、人間は利己的な動物でもある。カントのことばを借りれば、人間はその「非社交的社交性」のゆえに、他人なしですませることができないが、他人のために、自分のいだくもろもろの欲望の充足を断念することもできない。

だからこそ、ぼくたちには政治が必要だ。さまざまな利害の衝突を、暴力に訴えることなく調整するために、ぼくたちの力が対立しあうのではなくたがいに加算されあうために、戦争や恐怖や野蛮からまぬがれるために、政治は必要だ。

だからこそ、ぼくたちには国家が必要だ。人間たちが善良で正しいからではなく、むしろその逆だからこそ、人間たちが連帯しているからではなく、してはいないにしてもそうなる可能性がなくはないからこそ、国家が必要だ。アリストテレスの意図には反するが、「本性から」ではなく、文化や歴史をとおして、ぼくたちは国家を必要とする。

これこそが政治にほかならない。つまり、つくられてはこわされ、つくりなおされ、つづいてゆく歴史、そうやっていま現にある歴史、それがぼくたちの歴史であり、唯一の歴史だ。どうして政治に関心をもたないでいられようか。政治に関心をもたないのは、なににも関心をもたないことに等しい。すべては政治にかかっている。

政治とはなにか

政治とはなにか。それは、もろもろの葛藤や同盟、力関係――（家族や任意の集団の内部に認められるような）たんに個人間のものとはちがって、ひとつの社会全体の諸階層に応じた――を戦争にもちこむことなくやりくりすることだ。だからこそ政治とは、ひとつの国家あるいは都市（ギリシアで言えば、ポリス）のなかで、自分が選んだわけではないし、なんら特別な感情をいだくこともできない人びと――多くの点で仲間ではあるが、それと同じくらいに、あるいはそれ以上に敵対関係にある人びと――と、一緒に生きてゆくための技術だ。そのような生きかたが可能となるためには、ひとつの共通の権力が、あるいは権力を求めての闘争が必要だし、ひとつの統治機構が、あるいは統治機構がさまざまに変わることが必要となる。つまり、さまざまな対立がありながらも、そこにルールが存在する必要があり、さらには、さまざまな妥協がなりたちはするが、どれも一時的なものであるため、最終的にもろもろの不一致を調停するしかたについてひとつの合意が形成される必要があるのだ。さもなければ、暴力しか残らない。ぼくたちが生きてゆくためには、政治はそのような事態をこそ、まずもって防がなければならない。政治は、戦争が終わるところではじまる。

肝心なのは、だれが命令する者でありだれが服従する者であるのかを、言いかえれば、だれが法律をつくるのか——普通は、そのような存在が主権と呼ばれる——をはっきりさせることだ。主権は、(絶対君主制では)国王や専制君主でありうるし、(民主制では)国民でありうるし、あれこれの集団(ひとつの社会階級や政党、真のエリートや貴族階級という自称エリートなど)でもありうる……。さらには、よくあることだが、これら三つの政体あるいは統治タイプの独特な混合であるばあいもある。いずれにせよ、すくなくともこの地上においては万人にとっての最大の権力であり、ほかのあらゆる権力の保証となるこうした権力を欠いた政治などありえない。なにしろ、フーコーの言うように、「権力はいたるところにある」のだし、それどころか権力は無数にあるのだから。だが、もろもろの権力は、承認されたものであれ強制されたものであれ、それらのなかでもっとも権威のある権力のもとでしか共存しえない。権力が複数あるのにたいして、主権ないし国家はひとつだ。この対比のなかでこそすべての政治はいとなまれるのだし、そうだからこそ、政治は必要なのだ。ぼくたちは、乱暴者や横暴な連中であればだれでもかまわず、言われるがままに服従するだろうか。むろんそんなことはない。なるほどぼくたちは、ひとつあるいはそれ以上の権力がなければならないことも、服従が必要であることも承知してはいる。しかし、だからといって、だれにたいしてでも、なにを犠牲にしてでも服従するわけではない。ぼくたちが望むのは、自発的に服従することであり、自分たちのしたがう権力がぼくたち自身の能力を全廃するどころか、強化し保証してくれるものであることだ。そんな状態が完全に実現されることはないが、そんな状態がまったく断念されることもない。だからこそ、つまり、より自由になり、もっと幸福になり、いっそう力強くなるために、ぼくたちは政治をいとなむのだし、いとなみつづけるのだ。単独ででも対立しあいながらでもなく、一九九五年秋の宣言書にも謳われていたように、「全員一緒に」、というよりはむしろ一緒にいとなむと同時に対立しながら——なにしろ対立は必要なものだし、対立がなければ政治など必要ないだろうから——、政治をいとなんでゆくのだ〔この年にフランスでは公務員による大規模なストライキが起こった。しかも、いつもとちがって、多くの国民がこのストライキを容認ないし支援するという現象が見られた〕。

政治の前提には、不一致や葛藤、対立がある。全員が一致しているとしても（たとえば、病気よりも健康のほうがましだとか、不幸よりも幸福のほうが好ましい……といった点で）、それは必ずしも政治のおかげとは言えない。だが、各人が自分の立場に固執し、自分のささやかな関心事にしかかかわらないというのも、やはり政治とは無縁のことがらだ。政治は、ぼくたちを対立させながらまとめあげる。つまり政治は、ぼくたちをまとめあげる最良のやりかたにかんして、ぼくたちを対立させる。そうしたいとなみに終わりはない。政治の終焉を語るのは、とんでもない思いちがいだ。政治の終焉とはそのまま人間性の終焉であり、自由の終焉であり、歴史の終焉であることになろう。逆に、人間性や自由や歴史にしても、葛藤が受けいれられ乗りこえられてゆくなかでしかつづいてゆかないだろうし、つづいてゆくはずもない。潮の満ちひきのように、政治はつねにやりなおされる。つまり、政治とは闘いであり、それこそがありうべきただひとつの平和だ。繰りかえして言えば、政治は戦争の対極にあるものであり、ここから、政治がどれほど大きなものであるかがかなりの程度うかがわれよう。さらに、政治は自然状態の対極にあるものであり、ここから政治がどれほど必要なものであるかがかなりの程度うかがわれよう。だれがひとりぼっちで生きたいと思うだろうか。だれがほかの人間すべてに抗《あらが》って生きたいと思うだろうか。ホッブズが教えたように、自然状態とは「各人の各人にたいする闘争状態」だ。そこでは人びとの生活は「孤立していて、貧しく、つらく、動物なみで、短い」。共通の権力のあるほうが、共通の法のあるほうが、国家のあるほうが、要するに政治のあるほうがどれだけましであることか。

どうやったら一緒に生きてゆけるだろうか？　なんのために一緒に生きてゆくのだろうか？　これこそが、解決を必要としていると同時に、絶えず問いなおされるべき二つの問いだ（なにしろ意見や陣営を変えたり、多数派から鞍替えする権利はだれにでもある……）。この問いは、各人が考えなければならないと同時に、全員で討論される必要のあるものだ。

政治とはなにか。それは、共同でいとなまれる葛藤に満ちた生活であり、国家の支配のもとで国家の管理にあわせていとなまれる生活だ。それは、権利〔＝権力〕を獲得し、維持し、活用する技法だ。それはまた権力を共有する技法でもある。じっさいのところ、権利を獲得するのに、これ以外のやりかたはない。

連帯と寛容

政治のうちに、程度の低いあるいは軽蔑に値する活動しか見ないのは、まちがっている。言うまでもなく、真実はその逆だ。共同の生活や共通の運命、たがいの対立に関心をはらうことは、だれにとっても不可欠な課題であって、だれもこれをまぬがれることはできない。きみは、人種差別主義者やファシスト、扇動家たちに好きにやらせようと思うだろうか。自分の代わりに役人たちだけに決断を任せていられるだろうか。テクノクラートや出世の亡者たちから、彼ら流の社会を押しつけられてもかまわないだろうか。それでよいというのなら、うまくゆかないからといって不満をもらす権利はきみにはない。ぱっとしない状態や最悪の事態を食いとめる努力をなにもしていなかったのなら、そうした事態に自分は荷担していないなどとどうして言えるだろうか。なにもしなかったことは弁明にはならない。知らなかったではすまされない。政治にかかわらないのは、自分の権利の一部を放棄することであり――これは危険なことだ――、自分の責任の一部を放棄することだ――これは非難に値する。政治に無関心でいることは、誤りであると同時に罪だ。それは自分のもろもろの利害にも、おのれの義務にももとる行為だ。

しかし、だからといって、政治は善や徳や無私にしかかかわらないものだと言わんばかりに、政治を道徳に還元しようとするのも正しくない。繰りかえして言えば、真実はその逆だ。道徳に統治力があるとしたら、警察も法律も裁判所も軍隊も必要ないだろう。国家も、ひいては政治も必要なくなるだろう。貧困や独占を打破するために道徳を当てにするのはあきらかにお伽話だし、人道主義に対外政策の代用をさせたり、慈愛に社会政策の代わりをさせたり、さらには反人種差別主義に移民政策の代わりをさせたりするのも、あきらかにお伽話以外のなにものでもない。むろん、人道主義なり慈愛なり反人種差別主義が道徳上不必要だとは言わないが、だからといって、そうしたものだけで政治的に十分だということにはなりえないし（なれるとしたら、もはや政治は不要になるだろう）、なんらかの社会問題をそうしたものだけで解決することなどできるわけもない。

道徳に国境はないが、政治にはある。道徳に国の別はないが、政治にはある。言うまでもないことだが、どちらをもちだしても、人種の概念にどれほどわずかであれ正当性を与えることなどできはしない。人間性も市民権も肌の色から生まれるわけではない。だが、道徳にしてもフランスやフランス人の、あるいはヨーロッパやヨーロッパ人の利害だけにかかわるものではない……。道徳が認めるのはさまざまな個人だけだ。つまり道徳は人間性しか認めない。それにたいして、フランスのあるいはヨーロッパの政治はすべて、それが右派のものであれ左派のものであれ、特定の国民ないしは民族を擁護するためにのみ存在している――むろん、それは人間性に反するわけではない。人間性に反してしまえば、それは背徳的で自殺的な結果をもたらすことになるが、いずれにせよ政治は特定の国民ないし民族を優先する。これは、道徳によっては絶対的に強制することも禁止することもできないことだ。

人びとは道徳だけで十分であることを、あるいは人間性だけで十分であることを望むだろう。政治の必要など感じないでいられるほうを望むだろう。だがそれは、歴史について思いちがいをすることだし、自分をごまかすことでしかない。

政治は、利己主義の対極にあるものではなく（道徳はそうだが）、集団レベルでの、しかも葛藤をともなった利己主義の表現だ。肝心なのは、みんな一緒に利己主義者であることだ。なにしろ、ぼくたちは逃れがたく利己主義者であり、だとすればみんなでそうなるほうがまだましだ。では、どうやってみんなで一緒に利己主義者になるのか？　さまざまな利害の収斂する地点をつくりだすことによってであり、これこそが連帯と呼ばれるものだ（これは、寛容とは区別される。寛容は、逆にあらゆる利害に超然としていることを前提にしている）。

連帯と寛容のちがいはしばしば誤解されている。だからこそ、この区別を強調するのにはそれなりの理由がある。連帯するとは、たしかにほかの人びとの利益を擁護することではあるが、それはあくまでその利益が、直接的にであれ間接的にであれ、自分の利益でもあるかぎりでのことだ。このばあい他人のためにふるまうことは、そのまま自分のためにふるまうことでもある。というのも、ぼくたちは共通の敵をもち共通の利害を有しており、同じ危険や同じ攻撃にさらされているからだ。たとえば、組合活動や保険や税制のばあいがそうだ。十分な保険をかけ、組合にはいり、あるいは自分の税金を払うからといって、だれが自分を寛容だと思うだろうか。寛容は、これとは別のことだ。それは、ほかの人びとの利益を擁護することだが、けっしてそれが自分の利益でもあるからそうするのではない。またそれは、自分がその分け前にあずかれないばあいでも他人の利益を擁護することだが、そうすることが自分にとってなにかメリットがあるからではなく、それが他人にとってメリットになるようにするためだ。このばあい他人のためにふるまうことは、けっして自分のためにふるまうことにはならない。むろん、ばあいによってはそのさいぼくはなにかを失うかもしれないし、ほとんどのばあい失うことになるだろう。与えようとしているものを、どうやって手許に置いておくというのか。手から離そうとしないものを、どうやって与えるというのか。それは、贈与ではなく交換であり、寛容ではなく連帯にほかならない。

連帯とは複数の人間が自分たちを守るひとつのやりかただ。寛容のほうは、極端なばあいには、ほかの人びとのために自分を犠牲にするひとつのやりかただ。だからこそ、道徳的に見れば寛容のほうがより高貴になるのではあるが、社会的・政治的に見ると連帯のほうがいっそう緊急のものであり、はるかに現実的であり、ずっと効果的だ。寛容の精神から社会保障に金を払う者はいないし、寛容の精神から自分の税金を支払う者もいない。寛容の精神にもとづいてしか組合を組織しないとすれば、そのひとはなんと奇妙な組合員であることか。しかしながら、社会保障や税金や労働組合が、あれこれの人間がときとして示すことのできるわずかばかりの寛容さよりも、正義のためになったことはたしかだ。同じことは政治にも当てはまる。寛容さから法律を守る者も、寛容さのゆえに市民である者もいない。だが、権利と国家のほうが、うるわしい感情などよりも、正義や自由のためになっている。

だからといって、連帯と寛容とが両立しえないわけではない。寛容になったからといって連帯できなくなるわけではないし、連帯しているからといって寛容になれなくなるわけでもない。だが、それ以上に、両者は等価的ではありえない。だからこそ、一方だけでは十分ではないし、どちらにも他方の代わりは務まらない。というよりもむしろ、ぼくたちが十分に寛容になれるなら、おそらく寛容さだけで十分かもしれない。だが、そこまで寛容になれるなんて、ほんの少数の者だけだし、そんなことはめったにないし、それもよくよくわずかな寛容さでしかない……。ぼくたちが連帯の必要を感じるのは、まさに自分たちに寛容さが欠けているからだし、だからこそ、これほどまでぼくたちには連帯が必要なのだ。

寛容さは道徳的な力であり、連帯は政治的な力だ。国家の最大の役割は、個々の利己主義を調整して社会がうまく機能するようにしつらえることにある。だからこそ、国家は必要であり、かけがえのないものだ。政治は、道徳や義務や愛の領域ではない……。

政治はもろもろの力や意見の織りなす領域であり、さまざまな利害やそれらの衝突がうずまく領域だ。マキャヴェリやマルクスのことを、ホッブズやスピノザのことを考えてみてほしい。政治とは利他主義の一形態であるどころか、賢くなり社会的なものになった利己主義にほかならない。これは政治を非難する理由ではなく、かえって正当化する理由だ。ぼくたちのだれもが利己的だからこそ、それだけ頭をはたらかせて一緒に利己的になる必要がある。ほとんどの人間にとって、共通の利害を、あるいはそうだと思われるものを求める忍耐強い組織的な探求が、対立や無秩序の蔓延よりどれほどましであるかは、だれにでもわかる。ほとんどの人間にとって、正義が不正よりどれほどましであるかは、だれにでもわかる。これが道徳的にも正しいのはあきらかであり、ここからわかるのは、道徳と政治がそれぞれにめざすものは、対立しあうものではないということだ。だが、道徳だけで正義が実現されるわけではないこともあきらかであり、ここからわかるのは、道徳と政治とが混同されえないということだ。

原理的に言って道徳は利害を超越しているが、利害を超越した政治はない。道徳は普遍的であり、というよりも普遍的たらんとするが、政治はすべて特殊的だ。道徳は孤独なものだが（一人称にしか当てはまらないのだから）、政治はすべて集団レベルでいとなまれる。

だからこそ、道徳には政治の代わりは務まらないのだし、政治にも道徳の代わりは務まらない。ぼくたちにはどちらもが必要であり、両者のちがいもまた必要だ。

例外をのぞけば、選挙は善人と悪人とを対立させるものではない。選挙が対立させるのは、陣営や社会集団ないしイデオロギー集団、党派や同盟、利害や見解、優先順位や選択、計画などだ……。そうしたことどもにかんしては、道徳にも言いぶんがあるということは、もちろん忘れてはならない（たとえば、道徳的に非難されるべき投票といったものはある）。しかし、だからといって道徳には計画や戦略の代わりは務まらないということも忘れてはならない。失業や戦争、野蛮にたいして道徳になにができるというのか。なるほど道徳は、そうしたものと闘うべきだとはぼくたちに語りはするが、それらに打ちかつ最適の方法については語ってくれない。しかるに、政治的に見て重要なのは、この最適の方法だ。きみは正義と自由に賛同しているだろう。道徳的には、それは当然のことだ。だが政治的には、これだけではどうすれば正義と自由とを擁護し、さらにはどうすれば両者を両立させられるかについては、なにも語られていないに等しい。きみは、イスラエルの人びととパレスティナの人びとが安全で国際的にも承認された地域をしつらえることを、あるいはコソヴォに住んでいるすべての人びとが平和裡に生きられることを、さらには経済のグローバリゼーションの進行によってさまざまな民族や人びとが犠牲にならないことを、すべての老人がしかるべき年金の恩恵に浴し、すべての若者が真の教育の恩恵に浴することなどを願っているだろう。もちろん道徳的にはきみが正しいと言えるだろうが、どうすればこれらすべてに成功する可能性が増大するかについてはなにも語られていない。市場経済あるいは自由な市場競争が保証されれば、それで十分だなどとだれが信じるだろうか。市場は商品にとってのみ意味をもつ。でも、世界はひとつの商品ではないし、正義も自由も商品ではない。売り買いできないものを市場にまかせるとは、なんとおろかな行為だろう。企業にかんして言えば、企業とは第一に利益を求めるものだ。そのことを非難するつもりはない。それが企業の務めなのだし、この利益こそぼくたち全員が求めてやまないものだ。しかし、だからといって、利益さえあれば人間的な社会をつくるのに十分だなどと信じられるだろうか。経済は富を産みだす。それはそうであるべきだし、富が多すぎて困るということもない。でも、それと同じくらいにぼくたちは、正義や自由、安全や平和、友愛や目標や理想をも必要としている……。そうしたものはどんな市場にも産みだせない。だからこそ、政治にかかわらなければならない。つまり、道徳だけでも経済だけでも十分ではないからこそ、さらには、経済だけ、道徳だけで満足できると言いはるのが道徳的に非難すべきことであり、経済的に悲惨な結果になるからこそ、政治が必要なのだ。

なぜ政治なのだろうか？　ぼくたちが聖人でもなければ、ただの消費者でもないからだ。ぼくたちが市民であり、市民でなければならず、また市民でありつづけることができるために、政治は必要なのだ。

政治の意義

政治を職業としている人びとにかんして言えば、公益のために彼らがはらう努力については、彼らに感謝すべきだが、だからといって彼らの能力や美徳にかんして過度の幻想をいだいてはならない。用心を怠らないことは人間の権利のひとつだし、市民の義務のひとつだ。

このような共和主義的警戒と、すべてを笑いものにする嘲弄とを混同してはならないし、さらにはすべてを軽蔑すべきものにしてしまう侮蔑とも混同してはならない。警戒を怠らないとは、ことばを過度に信用しないということであって、頭から非難することでもこきおろすことでもない。こんにちの差しせまった課題である政治の見なおしは、政治家を唾棄しているかぎり果たしえない。民主主義国家においては、ぼくたちには政治家を選ぶ権利が与えられており、またそうだからこそ、責任も負わされている。そこに、この政治体制がそのほかの政治体制よりも好まれる理由がある。人びとがこの政治体制に文句を言う権利をもつとすれば——むろん、その理由に事欠くことはないが——、それは道徳的に見るなら、この体制を変えてゆく努力をほかの人びととともに自分が実行するという条件をつけてのことでしかない。

正義や平和、自由や繁栄を希望するだけでは足りない。それらを擁護し、前進させるためには、じっさいに行動しなければならない。そしてそのためには、多くの人びとの協働が不可欠だし、そうなればどうしても政治ぬきではすまされない。政治が道徳にも経済にも還元されないということは、もう十分に強調した。これももう一度繰りかえしておくなら、そう言ったからといって、政治が道徳になんのかかわりももたないとか、経済にはなんの影響力ももたないということにはならない。人権と自分の幸福を大事にしているひとにとって、政治にかかわることは自分の権利に尽きる話ではなく、自分にとっての義務でもあり利害でもある――さらには、自分の権利と義務と利害とをすこしずつではあれ調停してゆく唯一の方法でさえある。弱肉強食の掟《ロワ》と愛の教え《ロワ》とのあいだに、きわめて簡潔な法《ロワ》がある。現実を顧みない天使めいた純粋主義と野蛮とのあいだに、政治はある。天使たちであれば政治など無しですまされるだろう。動物たちもそうだ。しかし、人間はちがう。だからこそ、アリストテレスが「人間は政治的動物だ」と言ったのは、少なくともこうした意味でなら正しかった。なにしろ人間は、政治にかかわらなければ、みずからの人間性に完全な責任を負うことができないのだ。

「人間らしくふるまう」(道徳)だけでは足りない。人間的と呼ぶにふさわしい社会をもつくらなければならないのであり(なにしろ多くの点で、社会こそが人間をつくりあげるものだ)、そのためには、つねに社会を、すくなくとも部分的につくりなおしつづけてゆく必要がある。世界は絶えず変化している。変化することのない社会は衰退してゆくよりほかない。だからこそ、行動し、闘いを挑み、抵抗し、創造し、庇護し、変化させてゆかなければならない……。政治はそのためにある。これ以上にぼくたちの関心を惹く課題があるだろうか。ことによるとあるかもしれない。だが、社会レベルで見たばあい、政治以上に差しせまった課題はない。歴史は待ってはくれない。手をこまねいて歴史に期待していてはならない。

歴史は運命ではないし、たんにぼくたちをつくりあげるだけのものでもない。歴史とは、ぼくたちをつくりあげるものを、ぼくたちが一緒になってつくりだしてゆくことにほかならないのであり、それが政治だ。

第三章　愛

「愛するとは喜ぶことだ」――アリストテレス

哲学的主題としての愛

愛こそは、もっとも関心をかきたてるテーマだ。なによりもそれ自体において、つまりそれが約束する、あるいは約束してくれるように思われる幸福のゆえに――あるいは、ときとして愛ゆえにおびやかされ失われてしまう幸福のゆえに――、愛は関心をかきたてる。愛で結ばれている者のあいだに、これ以上に快適で、なじみ深く、尽きることのない話題があるだろうか。恋人たちのあいだに、これ以上にひそやかで、優しく、心震わせることばがあるだろうか。そして各人にとって、情熱以上に関心をかきたてるものがあるだろうか。

こう言うと、愛とは異なる情熱や、情熱とは区別される愛だって無数にあると言われるかもしれない。それはまったくそのとおりだし、そのことこそが、ぼくの言いたいことの裏づけにもなる。愛がもっとも関心をかきたてるテーマであるのは、それ自体においてーーそれが約束しもすれば危うくしもする幸福によって――そうだというばかりでなく、間接的にもそうなのだ。なにしろ、どんな関心も愛を前提している。たとえば、もしきみがとりわけスポーツに関心をもっているとしたら、それはつまり、きみがスポーツを愛しているということだ。あるいは映画に関心をもっているとしたら、つまりきみは映画を愛しているのだし、お金に関心をもっているとしたら、それはつまりきみがお金を、あるいは自分の好きなものを買えるようにしてくれるものを愛しているということだ。政治に関心があるとすれば、政治を愛しているか、権力を愛しているか、正義を愛しているか、自由を愛しているかだ……。仕事のばあいはどうだろう。このばあいもやはりそれは、きみが仕事を愛しているということだし、あるいは少なくともきみになにごとかをもたらしてくれるもの、あるいは将来もたらしてくれることになると思われるものをきみが愛しているということだ……。幸福のばあいはどうだろう。それはきみが世界中のだれもと同じように、自分を愛しているということであり、おそらく幸福とは、あるがままの自分を、あるいは自分のもっているものや自分のおこなったことを愛するということにほかならない……。きみは哲学に関心があるだろうか。哲学という名称のうちには愛がふくまれているし（ギリシア語でフィロソフィアとは叡智を愛するという意味だ）、その目的のうちにも愛がふくまれている（愛すること以外にどんな叡智があるというのか）。すべての哲学者が尊敬してやまないソクラテスが説いたのも、このことにほかならなかった。きみはさらにはファシズムやスターリニズム、死や戦争にも関心があるだろうか。そうだとすれば、それはつまり、きみがそうしたものを愛している、あるいは——きっとこう言うほうがいっそう適切だろうが——、そうしたものに抵抗する、民主主義や人権、平和や友愛や勇気といったものを愛しているということだろう……。関心の向けられるさきがあるだけ、それと同じ数の愛がある。だが、愛をともなわない関心は存在しない。こうして出発点へもどることになる。すなわち、愛とはもっとも関心をかきたてるテーマであり、ほかのどんなテーマも、ぼくたちがそこに置きいれる愛に、あるいはそのうちに認める愛に応じたかたちでしか関心をかきたてることはない。

してみると、愛を愛するか、なにも愛さないかのいずれかしかない——言いかえれば愛を愛するか死ぬかのいずれかしかないのであり、だからこそ、自殺ではなく愛こそが、真に重大なただひとつの哲学的問題なのだ。

おわかりのように、こう言うときぼくは、アルベール・カミュの『シーシュポスの神話』の冒頭の文章を念頭に置いている。「真に重大な哲学上の問題はひとつしかない、つまり自殺だ。人生が生きる苦しみに値するか否かを判断することこそが哲学の根本問題に答えることだ」。この一節の後半の文章は、ぼくも喜んで受けいれる。だからこそ、ぼくは前半の文章に完全に同意することはできない。人生は生きる苦しみに値するか。自殺はこの問題を解決するどころか、問題そのものを抹消してしまう。愛だけが、この問題を抹消するのではなく（なにしろこの問いは朝がくるたびに、そして夜が訪れるたびにあらわれてくる）、ぼくたちが生きているかぎり、この問題をすこしずつではあれ解決し、ぼくたちを生のうちに踏みとどまらせてくれる。肝心なのは、人生が生きる苦しみに値するか否かではなく、人生が生きる苦しみと喜びとに値するか否かということであり、その答えはなによりもまず、愛し愛される能力がぼくたちにどれほどあるかによって左右される。これは、スピノザが見てとっていたことだ。「われわれのいっさいの至福と悲惨さとはただ一点にかかっている。それはつまり、われわれが愛を介して結びつく対象がなんであるかということだ」。幸福とはひとつの、あるいはいくつもの幸福な愛のことであり、不幸とは不幸な愛あるいは愛の完全な喪失のことだ。フロイトによれば、抑鬱症ないし鬱病のひとの特徴は、なによりもまず「愛する能力の喪失」――もちろん、そこには自己愛もふくめての話だが――にある。だからこそ、こうした病に頻繁に自殺行為がともなうのも驚くにはあたらない。愛こそがぼくたちを生きさせてくれる。それは、愛こそが生を愛すべきものにしてくれるからだ。愛こそが救いをもたらしてくれる。だからこそ、まず愛が救われる必要があるのだ。

エロス・フィリア・アガペー

だが、それはどんな愛だろうか。そしてどんな対象に向けられる愛なのだろうか。なにしろ、愛の向けられる対象は無数にあるのだから、当然、愛そのものもいくつもある。すでに言ったように、お金や権力を愛することもできるが、友人を愛することも、自分が恋する相手を愛することも、わが子や両親を愛することもできるし、さらにはだれであれたまたまそこにいるだけのひとを愛することだってできる。そうした相手が隣人と呼ばれる。

また、神の存在を信じているなら、神を愛することもできるし、自分のことをわずかでも愛しているなら、自分を信じることもできる。

愛がこれほどにも多様であるのに、愛という語はひとつしかないことが、もろもろの混乱の、あるいは——愛にはつねに欲望が混じりこんでしまうので——幻想の源だ。愛について語るとき、じっさいのところ自分がなにについて語っているのかわかっているだろうか。多くのばあい、あいまいな、つまり利己主義者《エゴイスト》や自己愛者《ナルシシスト》の愛を覆いかくしたり潤色したりしようとしてお話をでっちあげたり、自分以外のものを愛しているふりをしようとして、自分たちの誤りや悪習を矯正するどころか、それを覆いかくそうとして、愛という語のあいまいさを利用してはいないだろうか。愛をきらうひとはいない。これはまったく言うまでもないことだが、だからこそ用心しなければならない。愛への愛には、真理への愛がともなっていなければならない。この後者の愛があるからこそ、愛が解明され導かれてゆくのだが、おそらくその分だけ愛への熱は冷めてゆくことだろう。たとえば、自分を愛さなければならないのは言うまでもない。そうでなければ、自分の隣人を自分と同じように愛せよなどと要求できるものだろうか。だが、人びとが自分しかあるいは自分のためにしか愛さないということは、よく経験されることだし、危険なことでもある。そうでなければ自分の隣人をも愛せよなどと要求できるだろうか。

異なった愛には異なったことばが必要だ。フランス語では、そのためのことばに事欠くことはない。愛をあらわすことばは、友愛《アミティエ》、博愛《タンドレス》、熱愛《パッシオン》、愛情《アフェクシオン》、愛着《アタッシュマン》、好み《アンクリナシオン》、同情《サンパティ》、好意《パッシャン》、慈愛《ディレクシオン》、崇拝《アドラシオン》、慈悲《シャリテ》、情欲《コンキュピサンス》などいくらでも挙げられる……。問題はたんに選択に困るという点だが、じつはそこにこそ厄介な問題がある。おそらくはフランス人よりもずっと明晰で綜合的な頭の持ち主だった古代ギリシア人は、三つの異なった愛を表示するのに、基本的には三つのことばを用いていた。すなわち、エロスとフィリアとアガペーはギリシア語における三つの愛の名前であり、ぼくの知るかぎりではあらゆる言語のうちでもっとも啓発的な名称だ。この三つの愛については、『ささやかながら、徳について』のなかで相当の量を割いて論じたことがある。ここではいくつかの道筋をごく簡単に示すことしかできない。

エロスとはなにか。それは欠如であり、恋の情熱であり、プラトンによれば、愛そのものだ。「自分のもっていないもの、自分がそれではないもの、自分に欠けているもの、それこそが欲望の対象であり愛の対象だ」。これは奪う愛であり、手にいれてもちつづけようとする愛だ。ぼくはきみを愛している。だからぼくはきみが欲しい。これほど簡単なことはない。この愛はもっとも暴力的でもある。欠けているものを愛さないでいられようか。欠けていないものをどうやって愛するというのか。ここに情熱の秘密（すなわち情熱は、欠如や不幸、欲求不満の状態にあるかぎりでしか持続しない）がある。宗教の秘密（神とは絶対的に欠けているものにほかならない）もここにある。信仰がなければ、どうしてこんな愛が幸福だと言えるだろう。この愛においては、自分のもっていないものを愛して苦しむか、もはや愛していないものをもちつづけて（なにしろこの愛は欠けているものしか愛さないのだから）、退屈に陥るかだ……。これが情熱の苦しみであり、夫婦の陥る悲しみだ。幸福な愛（エロス）はない。

だが、愛なくしてどうやって幸福になれるというのか。また、だれかを愛していて幸福でないなどということがあるだろうか。プラトンが、なにごとにおいてもつねに正しいというわけではない。欠如が愛のすべてではない。ときにはぼくたちは、自分たちに欠けているわけではないもの――もっているものや自分でつくりだしたもの、あるがままのもの――を愛することもあるし、そうしたものを心から味わう――まさに、それらを享受し嬉しく思う――こともある。これこそが、ギリシア人がフィリアと呼んだものであり、さらに言えば、アリストテレスの考える愛（「愛するとは喜ぶことだ」）であり、幸福の秘密にほかならない。このばあいの愛の対象は、欠けてはいないもの、自分たちが享受するものであり、ぼくたちはそのものを喜ぶ。もっと言えば、ぼくたちの愛はこの喜びそのものだ。性交の快楽や行為の快楽もあるが（これは自分でつくりだす愛だ）、夫婦や友人同士の幸福もある（これは分かちあう愛だ）。不幸な愛（フィリア）はない。

要するに、友愛ということなのか。じっさい、普通フランス語ではフィリアは友愛《アミティエ》と訳されるが、そう訳すとこの愛の領野ないし射程がややせばまってしまう。なにしろ、いま話題にしている友愛は、欲望（このばあいにはもはや欠如ではなく力であろう）と相いれないし、情熱（エロスとフィリアとが混じりあうことはあるし、しばしばそうなっている）とも相いれず、家族（アリストテレスは、親子の愛や夫婦間の愛もフィリアにふくめていた。ほぼ同じようなことを、もっと後になるとモンテーニュが夫婦間の友愛という言いかたで述べていた）とも相いれないにしても、恋人同士のあいだに見られるあれほどまでに不思議でかけがえのない親密さと相いれないものではない……。ここにあるのはもはや、トマス・アクィナスが欲情の愛と呼んだもの（他人を自分の利益のために愛すること）ではないし、あるいはもはやそうした愛に尽きるものではなく、思いやりの愛（他人を彼自身の利益のために愛すること）だ。これこそが、幸福な夫婦の秘密だ。なにしろ、おわかりのようにこの思いやりの愛は、欲情を締めだすものではなく、逆に欲情をも呑みこみ照らしだす愛にほかならない。自分が与えるあるいは受けとる快楽を喜ばないでいられるだろうか。そうした喜びを自分に与えてくれる相手にたいして、よかれと望まないでいられるだろうか。

　この喜ばしい思いやり、思いやりにあふれた喜びこそ、ギリシア人がフィリアと呼んだものであり、アリストテレスの考える愛だ。繰りかえしておけば、愛するとは喜ぶことであり、愛する相手によかれと望むことだ。だが、これはスピノザの考える愛でもある。『エチカ』には、「外的な原因の観念のともなう喜び」と述べられている。愛するとは、なにかを喜ぶことだ。だからこそ、愛することのほかに喜びはなく、原理上喜ばしいものでない愛はない。欠如だって？　愛の本質はそんなものじゃない。欠如とは、愛にとっては、現実がぼくたちに欠けているときや、悲しみがぼくたちを打ちのめし引きさくときに生まれる添えものにすぎない。だが、まずは幸福が、たとえ夢想としてではあれ、現にあったからこそ、悲しみに打ちひしがれることもあるのだ。欲望も愛も欠如ではない。欲望とは力であり（享受する能力《ピュイサンス》でもあれば、潜在的《アン・ピュイサンス》な享受でもある）、愛とは喜びだ。そんなことは、幸福な恋人たちはとうに承知のことだし、友人たちも知っている。ぼくはきみを愛している。きみがいてくれて嬉しいんだ。

ではアガペーとはなんだろう？　これもギリシア起源ではあるが、ずっと後になって生まれたことばだ。プラトンもアリストテレスもエピクロスも、こんなことばは一度も使わなかった。エロスとフィリアとで彼らには十分だった。彼らが知っていたのは、情熱か友愛かであり、欠如の苦しみか分かちあう喜びかだけだった。ところが、この三人が亡くなってからだいぶ後になって、ひとりの小さなユダヤ人が、ローマから遠くへだたった植民地で、あったかどうかもわからないセム語の方言で、突如としてつぎのような驚くべきことを語りだした。「神は愛だ……。自分の隣人を愛しなさい……。自分の敵を愛しなさい……」。たぶんどんな言語でも奇妙に響くこれらのことばは、ギリシア語ではほとんど翻訳不可能に思われた。ここではどんな愛が問題になっていたのか。エロスかそれともフィリアか。どちらだと考えても、ぼくたちは不条理へ追いこまれてしまう。神になにかが欠けることがありえようか。神がだれかの友となることがありえようか。すでにアリストテレスが、「自分が神の友だと思いこむのは、ばかげたことだ」と述べていた。じっさい、これほどに貧相でちっぽけなぼくたちの存在が、神の永遠で完全な喜びを増すことができるなどとは考えられない……。また、だれがぼくたちに、自分の隣人を（つまり、だれであれあらゆるひとを、ということだが）愛せよとか、考えられないことだが、自分の敵の友になれなどと要求する権利をもつというのか。それでも、世界から理解されるためには、こんにちでも英語でなされているように、この教えをギリシア語に翻訳する必要があった……。イエスの――なにしろ、さっき述べたユダヤ人とはイエスのことだ――最初の弟子たちは、そのためにがんばり、普通は名詞で用いられることのなかったひとつの動詞（愛するという意味をもつアガパン）をもとに、新しいことばを創案し、普及させた。こうして、アガペーということばが生まれ、それがラテン語ではカリタスと翻訳され、フランス語ではたいていのばあいシャリテ〔慈愛〕と訳されている……。なにが問題となっているのか？　それは、ぼくたちに発揮できるかぎりでの隣人愛であり、ぼくたちに欠けることもなければ、よいことをしてくれるわけでもない（だから、恋する相手という意味でのエロスの対象にも、友という意味でのフィリアの対象にもならない）、ただそこにいるだけの相手への愛であり、なんの見かえりを求めることもないままに、なんのためにでもなく、彼がだれであろうと、どれほどの人間であろうと、なにをしたにせよ、敵であったとしても、彼を彼自身のために愛せよと命じる愛だ。これこそがイエス・キリストの考える愛であり、シモーヌ・ヴェイユやジャンケレヴィッチの考える愛であり、神聖さ――そんなものがありうるとしての話だが――の秘密にほかならない。愛をふりまく好ましいこの慈愛を、施しや見下すような寛大さと混同してはならない。むしろ問題になっているのは、普遍的な友愛であり、それは自我から自由になっており（たんなる友愛のばあいはこうはならない。モンテーニュはラ・ボエシーにたいして自分がいだいている友愛について、「それが彼だったから、それが私だったから」と言っている）、利己主義から自由になっており、あらゆるものから自由になっており、だからこそ自由をもたらす愛にほかならない。このような普遍的な友愛こそが、神の愛なのだろう――もし神がいるとしての話だが（ヨハネの第一の手紙には「神は愛である」と謳われている）。また、もし神がいないとしても、ぼくたちの心情においてあるいは夢想において、それにもっとも近いところにある愛だろう。

愛するということ

エロスとは、欠如に端を発しわがものにしようとする愛であり、フィリアとは、喜び分かちあう愛であり、アガペーとは、受けいれ与える愛だ……。これら三つの愛のあいだで、どれかを選びとろうとやっきになってはいけない。欠如のない喜びがあるだろうか。分かちあうことのない贈与があるだろうか。これら三つの愛を、あるいは愛のこれら三つのかたちを、さらに言いかえれば愛のこれら三つの段階を、もし概念的に区別しなければならないとしたら、それはとりわけ、これら三つがどれひとつとして欠けてはならず、結びついたものであることを理解し、それらがたがいに通じあってゆく道のりを解明するためのことだ。これら三つの愛は、たがいに排除しあう三つの本質ではなく、むしろ愛するという同じ領野に属する三つの極であり、生きるという道のりにふくまれる三つの契機にほかならない。最初にくるのはいつもエロスであり、そのことはプラトンやショーペンハウアーの後を受けて、フロイトが教えてくれた。アガペーは、福音書が提示しつづける目標だ（すくなくともそれをめざすことは、ぼくたちにもできる）。最後に、フィリアは道のり、道のりというかたちをとった喜びであり、それを通じて、欠如が力へと、貧しさが豊かさへとかたちを変えてゆく。

　おっぱいをもらう子どもと、おっぱいをあげる母親を見てみよう。もちろん、彼女も最初は子どもだった。ぼくたちはみな、もらうことからはじめる。これもひとつの愛しかただ。ついでぼくたちは、すこしずつ、ときおりにではあれ、与えることを学んでゆく。これは、受けとった愛にどこまでも誠実でありつづけるただひとつのありかただ。受けとった愛とは、言いかえれば、人間的な、しかしけっしてあまりに人間的でありすぎることのない愛であり、ひどく頼りなく、ひどく不安定で、ひどく限定されてはいるが、いわば無限のイメージをつくりあげる愛であり、ぼくたちを対象にすることでぼくたちを主体たらしめた愛でもあり、恩寵のようにぼくたちに先だち、ぼくたちを創りあげたというよりは生みだした過分の愛であり、ぼくたちを和らげ、清め、養い、保護し、慰める愛であり、いつでもぼくたちとともにあるが、ときにはぼくたちに欠け、ときにはぼくたちを喜ばせ、混乱させもすれば、照らしだしもする愛だ……。母親がいなかったら、ぼくたちはどうやって愛することを学ぶというのか。愛がなかったら、ぼくたちは神についてなにを知るというのか。

哲学的な愛の告白とはどんなものだろうか。それは、たとえばつぎのようなものだろう。

プラトンの考えでは、愛とは、「ぼくはきみを愛している。ぼくにはきみが欠けている。ぼくはきみが欲しい」というものだ。

アリストテレスやスピノザの考えでは、愛とは、「ぼくはきみを愛している。きみこそがぼくの喜びの源だ。そのことがぼくには嬉しい」というものだ。

シモーヌ・ヴェイユやジャンケレヴィッチの考えでは、愛とは、「ぼくはきみを、とるに足らないものでありほとんど無に等しいぼく自身のように愛している。ぼくはきみを、神がぼくたちを愛する——神がいるとしての話だが——ように、愛している。ぼくはきみをだれでもと同じように愛している。ぼくは自分の力をきみの弱さのために発揮し、ぼくのささやかな力をきみの底なしの弱さのために発揮しよう……」というものだ。

エロスはわがものにしようとする愛であり、享受することか苦しむことかしか知らず、手にいれるか失うかしか知らない愛だ。フィリアは喜び分かちあう愛であり、自分によくしてくれる相手によかれと望む愛だ。最後に、アガペーは受けいれ保護する愛であり、与え自分を放棄する愛であり、愛されようと思うことさえしなくなる愛だ……。

ぼくはこれらすべてのやりかたできみを愛している。ぼくはむさぼるようにきみを自分のものにし、きみの人生を、きみとの夜を、きみの愛を、喜びをもって分かちあい、穏やかに自分を与え、自分を放棄する……。

きみがきみでいてくれてありがとう。いてくれてありがとう。ぼくが生きる助けになってくれてありがとう。

第四章　死

「ほかのどんなものにかんしても、安全を手にいれることはできる。しかし、死があるために、われわれ人間は、だれもが防壁のない都市に住んでいる」——エピクロス

死という謎

思考にとって死は、不可欠な対象であると同時に、不可能な対象でもある。

不可欠だというのは、ぼくたちの生には終始、無の射影のように（もしぼくたちが死なないとしたら、おそらく瞬間ごとに好みは変わり、光も絶えず変わることだろう）、ぼくたちから見たすべてのものの消失点のように、死のしるしがつきまとっているからだ。

他方で、不可能だというのは、死のなかには思考できるものがなにもないからだ。死とはなにか？　その答えをぼくたちは知らないし、また知りえない。この究極的で不可解な謎のために、ぼくたちの人生全体が、どこへゆきつくのかわからない道のように、というよりもむしろ、ぼくたちが、どこにゆきつくのかは（つまり死にゆきつくのだということは）知りすぎるほど知っているが、しかしその向こうに——そのことばの向こうに、あるいはその事象の向こうに——なにがあるのかは知らず、そもそもなにかがあるのかどうか

さえわからない道のように、不可解なものとなる。

おそらくこの謎のもとでこそ、人間性がはじまるのだろうが（おそらく、この謎について自問したことのある動物はいないにちがいない）、この謎にはたしかにいかなる解決もない。「死とはなにか」という問いにたいして、多くの哲学者たちが飽くことなくいろいろな答えを与えているし、形而上学の大部分もまさにここで展開されている。だが、極度に単純化して言うなら、哲学者たちの与えてきた解答は、二つの陣営に区分される。一方は、死はなにものでもない（まったくの無だ）と述べ、もう一方は、死とは別の生であり、あるいは継続され、純化されて、自由になった同じ生だと断言する……。これは、死を否定する二つのやりかただ。死を無だと言うばあいには、無はなにものでもない以上、死は否定されているわけだし、死を生だと言うばあいには、死は生のひとつになってしまうのだから、やはり死は否定される。死を考えることは死を解消することであり、必然的に目標はとり逃がされる。死は無であるか（エピクロス）、それとも死ではなく（プラトン）もうひとつの生になるか、どちらかなのだ。

この両極のあいだには、どんな適切な態度決定もありえないように思われる。もはや態度決定とは言えないような態度――すなわち、わからないとはっきり認めるか、たしかなことは言えないとするか、疑わしいとしか言えないとするか、あるいは無関心でいるか――をとるのでもないかぎり……。しかし、死にかんしてはなにもわからないというのがぼくたち全員の定めである以上、この第三の立場は、さきの二つの立場を不安定なあるいは決定不可能なものとみなす態度にほかならない。そればかりかさきの二つは、いずれも第三項排除の原則にしたがっているものなのだから、両極をなす主張を表明しているわけでも、矛盾しあう主張を表明しているわけでもない。死はなにかであるか、なにものでもないかのいずれかでしかありえないというわけだ。だが、死がなにかであるなら、無とは別のものになり、もうひとつの生でしかありえないことになる——それがばあいにより、また信じかたによって、すこし暗いものになるか、すこし輝いたものになるかはともかく……。要するに、死という不可解な謎は二つの答えかたしか許さないものであり、だからこそ哲学の歴史と人類の歴史とを、これほどまでに執拗に構造化してさえいるのかもしれない。死を真剣に、手のつけようのない無であるかのように受けとめるひともいれば（とりわけ無神論者と唯物論的哲学者のほとんどが、こちらの陣営に与している）、逆に死を二つの生のあいだの通過点や移行過程としか、つまりは真の生の端緒としか考えないひともいる（大部分の宗教や、それと和して唯心論的あるいは観念論的哲学者たちはそう主張する）。むろんどちらをとるにせよ、謎は相変わらず残っている。繰りかえして言えば、死を考えると、死は解消されてしまう。しかし、解消されるからといって死なすむことにはなるわけではないし、死がなにを意味するのかが前もって解明されたことになるわけでもない。

そうだとすると、解けない問題について考えることがなんの役にたつのか、と問われそうだ。それは、パスカルが見てとっていたように、ぼくたちの人生全体が、そしてぼくたちの思考もすべて、この問いに依存しているからだ。死後にも「なにか」があると思うか思わないかに応じて、生きかたも考えかたも変わってくる。そればかりか、ほんとうに解決できる問題（そうであれば、それはじつのところ問題とは言えない）にしか興味を示さないひとは、哲学することなどあきらめるしかない。けれども、自分や思考の一部を切りつめてしまうつもりなのでもないかぎり、だれにそんなことができるだろうか。ぼくたちがみずからに提起するもっとも大切な問題のどれひとつにも、科学は答えてくれない。なぜなにも存在していないのではなく、なにかが存在しているのか？　人生は、生きる苦しみに見あうものなのか？　善とはなんだろう？　悪とはなんだろう？　ぼくたちは自由なのか、それともぼくたちの人生はなんらかのしかたで決定されてしまっているのか？　神は存在するのか？　死後の生はあるのか？　広い意味でなら形而上学的と言ってよい（じっさいこうした問いは、およそありうべきいっさいの自然科学を超えている）これらの問いこそが、ぼくたちを思考する生きものたらしめているのであり、もっと言えば哲学する生きものたらしめているのだ（科学は思考しはするが、こうした問いをみずからに提起したりはしない）。そしてこれこそが人間性と呼ばれるものであり、ギリシア人のことばを借りれば、この生きものは死すべき者どもと呼ばれる。これは、死んでゆく者という意味ではなく——動物だって死ぬのだから——、自分たちがやがて死んでゆくとわきまえているが、だからといってそれがどういうことなのかわかっているわけではなく、それでいて死を考えなくてよくなるとも思っていない者を意味している……。人間は形而上学的な動物だ。だからこそ、絶えず死が問題になる。大切なのは、死を解決することではなく、死に立ちむかうことだ。

モンテーニュの教え

ここで、「哲学するとは死を学ぶことだ……」という有名な文句が思いだされる。フランス語ではこの文句は、モンテーニュの『エセー』第一巻第二十章のタイトルだが、モンテーニュはあきらかにこの表現のヒントをキケロから借りてきたのであり、当のキケロは彼の『トゥスクルム論議』のなかで、このことばをプラトンからの引用として挙げている……。だから、もともとはプラトンの考えだったものが、キケロによってラテン語に翻訳され、ついでモンテーニュによってフランス語に移されたということになる……。だが、それはどうでもよい。肝心なのは、すでにモンテーニュが注意を喚起していたように、このことばが二つの異なった意味で理解されうるという点であり、すべての人生は――そして、哲学の大部分も――程度の差こそあれ、その二つの意味のあいだで決定されるということだ。

プラトンの考えでは、死は魂と肉体との分離であり、そのような意味での死こそが人生の目標であって、そのための一種の近道をしつらえるのが哲学だ。その近道とは、自殺を意味するのだろうか？　その逆だ。より生きいきとした、いっそう純粋でずっと自由な人生こそが、その近道だ。というのも、そのような人生は、肉体という牢獄――あるいはゴルギアスのことばを借りれば、肉体という墓場――からの自由を先どりしているものだからだ……。「真の哲学者たちはすでに死んでいる」とプラトンは言う。だからこそ、死は哲学者たちにとって恐ろしいものではない。死によって彼らから奪われるものはなにもない。

つぎにモンテーニュの考えでは、死は人生の「目標」ではなく、人生の「終わり」ないし終点であり、人生の（合目的性をではなく）本質的な有限性を示している。死から逃げることはできないし、かといって自分たちの人生や喜びまでをも損なうわけにもゆかないのだから、死にたいして心構えをし、死を受けいれなければならない。初期の『エセー』では、モンテーニュはいつでも死のことを考えようとしており、そうすることで、死に慣れ、死にたいして心構えをし、彼の言いかたを借りれば、死に毅然と立ちむかおうとしている。後期になると、慣れてきた結果として、こうした考えはそれほど必要なものでも、深刻なものでも、強迫的なものでもなくなってゆくように思われる。死を受けいれられればそれでよいのであり、死はときとともにすこしずつ重みを失い穏やかなものになってゆく……。これは矛盾というよりも、進歩であり、モンテーニュの成功を、いずれにせよ前進を示している。死への不安など、つかの間のものにすぎない。死に立ちむかう勇気にしても、つかの間のものにすぎない。それよりは、死に頓着しないほうがよい。そのような態度は気晴らしでも忘却でもなく、穏やかな受けいれなのだ。これこそが、モンテーニュがつぎのような一言でまとめてみせたものであり、これは彼の書いたもっとも美しい文章のひとつだ。「私が望むのは、できるだけはたらき、人生の務めをできるかぎり長く果たしつづけることであり、死が私のもとを訪れるのが、私がキャベツでも植えているとき、それも死に無頓着で、そればかりか自分の庭園が未完成なままであることにさえ無関心でいるようなときであることだ」。哲学することが死を学ぶことであるのは、それが生きることを学ぶことと等しく、死が――死の観念や死の不可避性が――生の一部をなしているからにほかならない。そうはいっても、大切なのは人生であり、人生だけだ。真の哲学者とは、あるがままの生を愛することを学んでゆくひとなのだから、死がつきまとうことに恐れをいだくこともない。

スピノザの教え

死は無なのか、それとも再生なのか。もうひとつの生なのか、それともまったくの生の欠如なのか。この二つの道のいずれを選ぶかは各人次第であり、そればかりか――懐疑主義者たちやおそらくはモンテーニュのように――選択を拒否することだって可能だ。つまり、この問いがじっさいにそうであるとおりに開かれたままにしておき、生きることとそのものであるこの開けに住まうこともできるだろう。だが、それもまた死を考えるひとつのやりかたであり、じっさい、死は考えないわけにはゆかないものだ。なにしろ、どんな思考にとっても、どんな生にとっても究極の地平である死そのもののことを考えずにいられるものだろうか。

スピノザによれば、「自由な人間はほかのなにものにもまして死について考えないものであり、彼の叡智は死ではなく生についての省察だ」。この文章の前半部分は逆説的に思えるにしても、それと同じくらいに後半部分は明晰だ。人生の短さや不安定さ、もろさについても省察することなしに、生について省察する——すなわち哲学する——ことは可能だろうか。賢者（スピノザの考えでは、賢者だけが自由な人間だ）が思いをめぐらすのは、非存在よりも存在であり、死よりも生であり、自分の弱さよりは強さだ。それはそうだろう。だが、生をその真の姿において思考しようとすれば、その有限性や死すべき定めにかんしても思考する——あらゆる限定は否定だ——ことになるのではなかろうか。

果たせるかなスピノザは、『エチカ』の別の箇所では、こうした思考はそれだけではあまりに一面的だと修正をくわえている。彼の説明によれば、すべての有限な存在にとっては、自分を滅ぼすかもしれない自分以外のもっと強力な存在がある。それはつまり、あらゆる生きものが死すべきものであると認めることであり、どんな生きものも、生きようとする、つまりおのれの存在に固執しようとするなら、いたるところでおのれに降りかかり、おのれに迫ってくるこの死にたいしても抵抗しないわけにはゆかないと認めることだ。世界も自然も、ぼくたちよりはるかに強大だ。だからこそ、ぼくたちはいずれ死んでゆく。生きるとは、闘うことであり、抗《あらが》うことであり、生きのびることだが、それを無限につづけることなどだれにもできはしない。最後には死なざるをえないのであり、それだけがぼくたちに約束されているただひとつの終わりだ。いつも死のことを考えるのは、考えすぎというものだろう。だが、まったく死を考えないのは、思考を拒否することでしかない。

そのうえ、だれだって、絶対的に自由であるわけでも、完全に賢者であるわけでもない。だからこそ死の思考は、よい意味でも悪い意味でも終わりにたどりつくことがない。このことをこそ認めなければならない。

フロイトの教え

人びとは死後の生の存在を願うことだろう。それだけが、死にかかわる問いに決定的な答えをだすことを可能にしてくれるのだから。だが、希望はもちろんのこと、好奇心からはなんの論証も生まれない。

ある人びとは死のうちに、おそらくは自分たちの待ちのぞむ救いを、あるいはプラトンのことばを借りれば、「駆けぬける価値のある美しい危険」を見てとる。別の人びとは、死のうちに無以外のなにも期待せず、それでいて死のうちに、疲れの消滅という意味での休息以上のものを、あるいはそれ以下のものを見てとる。この二つの見解はそれなりに心にしみるものだし、そうなりうるものではある。これこそ、死の観念が役だちうることがらだ。つまり、希望をもつことで人生がより受けいれやすいものになり、一度きりのものだからこそ人生がいっそうかけがえのないものになるのだ。どちらの考えかたも、人生を無駄にすごすべきではないことの理由を与えてくれる。

　ぼくは、死が無であることのほうがもっともありそうだ――じっさい、こちらのほうがほぼ確実だと思われているという意味で――と考える人びとのがわにいる。ぼくは自分なりに死と折りあいをつけており、じっさいそれでわりとうまくいっている。近親者の死よりも彼らの感じた苦痛のほうがぼくには気になるし、自分の死よりも彼らの死のほうが気がかりだ。たぶんこれは、年齢とともに、あるいは父親になることで獲得されてゆくことなのだろう。ぼくの死がぼくから奪いさるのはぼくだけだ。だからこそ、ぼくからすべてを奪うと同時になにひとつ奪いさりはしない。なにしろ、死んでしまえば、なにかを奪われるひともいなくなるのだから。他人の死のほうが、ずっとリアルで、ずっと強く胸にひびき、ずっと痛ましい。だからこそ、それが避けがたいことであるだけに、ぼくたちは他人の死に立ちむかわなければならない。それが喪と呼ばれるいとなみであり、フロイトが示してくれたように、喪とはなによりもまず自分にたいして遂行される作業だ。それは、だれもが知るように時間を要する作業だが、喪を経ることなしには日常生活と付きあいなおすことはできない。「戦争と死にかんする時評」のなかでフロイトがこう書いている。「われわれの覚えている古いことわざに「平和を維持したいなら戦いにそなえよ〔Si vis pacem, para bellum.《シー・ヴィース・パーケム・パラー・ベルム》〕」というのがあるが、これをすこし修正して、こう言うほうが時宜にかなっていよう、「生を耐えしのぼうと思うなら死にそなえよ〔Si vis vitam, para mortem.《シー・ヴィース・ヴィータム・パラー・モルテム》〕」と」。生を耐えしのぶとはどういうことだろうか。もっとはっきりした言いかたもできるだろうし、ぼくとしてはさらに踏みこんでいっそこう言いたい。きみが生を愛したいのなら、生を明晰に楽しみたいのなら、死が生の一部をなしていることを忘れてはいけない。死——自分の死をも近親者の死をも——を受けいれることこそが、生にたいして最後まで誠実である唯一の生きかただ。

ぼくたちはみな死すべき者であり、死すべき者を愛する者であるがゆえに、苦しまざるをえない。だが、この苦しみこそがぼくたちを一人前の男や女にするのであり、この苦しみこそが人生に最高の価値を与えてもくれる。もしぼくたちが死なないなら、ぼくたちの存在が死というもっとも茫漠とした背景のうえに置かれていないとしたら、人生がこれほどまでにかけがえのない、貴重な、すばらしいものでありうるだろうか。ジッドが言っている。「きみがつねづね死についてあまり考えてこなかったから、きみの人生のほんのささやかな瞬間にたいしても、十分な報賞が与えられないでしまったのだ」。だから、なににもまして人生を愛する——いずれにせよ、あるがままのもろくてあわれな人生を愛する——ためにこそ、人生をもっとも適切に楽しむためにこそ、最高の人生を送るためにこそ、死を考えなければならない。このことが、この章の必要性を教えてあまりあるだろう。

第五章
認識

「眼は事物の本性を認識できない」――ルクレティウス

認識するとは、存在するものを思考することだ。つまり認識とは、精神と世界とのあいだの、主観と客観とのあいだの――合致や類似、適合といった――ある種の関係だ。ぼくたちは、自分の友人や暮らしている界隈や住んでいる家を、そんなふうに認識している。それらのことを考えているときに、頭のなかに浮かんでいるものは、現実に存在しているものにおおよそ対応している。

このおおよそという点で、認識と真理とが区別される。というのも、友人にかんして思いちがいをすることはあるし、暮らしている界隈にかんしてもすべてを知っているわけではないし、住んでいる家にかんしてでさえ、知らないことはいくらでもある。自分の家がシロアリの被害にあっていないとか、家のしたに埋蔵金が眠っていないとか、だれに断言できるだろう。絶対的な認識も、完全な認識も、無限の認識もありえない。きみは自分の暮らしている界隈のことをちゃんと知っているつもりでいるだろう。それはもちろんだ。でも、ちゃんと知ろうと思ったら、その界隈にあるどんな細い路地をも、一つひとつのマンションのどの世帯をも、それぞれの世帯のどれほど小さな片隅をも、それぞれの隅っこのどれほど微小なほこりをも、一つひとつのほこりを構成しているどれほど小さな原子をも、それぞれの原子を構成しているどれほど小さな電子をも記述できなければならないだろう。そんなことができるだろうか。そのためには、完璧な科学と無限の知性とが必要とされるだろう。だが、このいずれもぼくたちの手の届くものではない。

こう言ったからといって、なにも認識できないと言っているわけではない。もしなにも認識できないとしたら、認識するとはどういう意味で、知らないとはどういう意味なのかさえ、ぼくたちにはわからないことだろう。事実にかかわるモンテーニュの問い（「私はなにを知っているか」）と、権利にかかわるカントの問い（「私はなにを、どのように、どんな条件のもとで、知ることができるのか」）とはいずれも、すくなくとも真理がありうるという見解を前提にしている。真理がまったく存在しないとしたら、ぼくたちはどうやって推論を進めてゆけるのだろうか、そして、哲学はなんのためにあるのだろうか。

認識と真理

真理とは、存在するもの（ラテン語では、veritas essendi《ヴェリタス・エッセンディー》すなわち存在の真理と言われる、あるいは存在するものに正確に対応するもの（ラテン語では、veritas cognoscendi《ヴェリタス・コグノスケンディー》

すなわち認識の真理と言われる）のことだ。だからこそ、どんな認識も真理ではない。つまりぼくたちには、存在するものを絶対的に認識することも、存在するものをくまなく認識することもできない。ぼくたちは、なにを認識するのであれ、みずからの感覚や理性、理論を介してしか認識できない。どんな認識も本質的に媒介なのだから、直接的な認識はありえない。どれほどささやかな思考でさえ、ぼくたちの身体や精神、文化の特徴を帯びている。ぼくたちのうちにあるあらゆる観念は、人間的なものであり、主観的なものであり、限界づけられており、だからけっして現実の汲みつくしえない複雑さに、完全には合致しえない。

「人間の眼は、おのれの認識の形式を通じてしか、事物を見ることはできない」とモンテーニュが言っていた。また、カントが教えたように、ぼくたちは悟性の諸形式を介してしか事物を思考しえない。別の眼があれば、ぼくたちのまえにはまったく別の風景があらわれることだろう。別の精神があれば、その風景はまったくちがったふうに思考されることだろう。おそらく別の大脳があれば、まったくちがう数学やちがう物理学、ちがう生物学が創りだされることだろう……。事物を認識するとはつねに、ぼくたちにとって見える姿でそれらを知覚し思考することなのだから、ぼくたちには事物をそれ自体においてあるがままの姿で認識することなどできはしない。真なるものに直接的にいたりつくことはできないし（自分の感覚や理性、観察や計測の道具、概念や理論などを媒介にしてしか、真なるものは認識できない）、絶対的なものと絶対的に接触することも、無限なものへ無限に開かれることもなしえない以上、こうしたものを全面的に認識することなどできはしない。現実を知覚し理解することを可能にしてくれる手だてそのものによって、ぼくたちは現実から切りはなされてしまっている以上、ぼくたちが現実を絶対的に認識することはありえない。認識というものは主観にとってしか存在しない。だからこそ認識は、たとえ科学的な認識であっても、完全に客観的な認識たりえない。

認識と科学

こうしたわけで、認識と真理とはまったく異なった二つの概念だ。だが、この二つは連動してもいる。どんな認識も真理ではない。しかし、すこしも真ではない認識は、もはや認識とは言えない（それは妄想か誤謬か幻想かであることだろう……）。どんな認識も絶対的ではない。しかし、すこしは絶対的な部分をふくみあるいは許容するばあいにのみ、認識は信念や思いこみにとどまることなく、一個の認識と言われる。

たとえば、太陽の周りを回る地球の運動を考えてみよう。この運動を絶対的に、あますところなく、完全に認識することはだれにもできない。でも、ぼくたちは、これが現実の運動であることも、それが回転運動であることも知っている。コペルニクスやニュートンの理論は、いずれもが依然として相対的なものであるにしても（本質からして理論とはそうしたものだ）、ヒッパルコスやプトレマイオスの理論よりも、いっそう真でありいっそう確実であり、したがっていっそう絶対的だ。そして、これと同様に相対性理論は、十八世紀の天体力学よりもいっそう絶対的だ（けっして、この名前ゆえにときに誤解されるように、より相対的なわけではない）。前者は後者を説明できるが、後者から前者は説明されえない。いっさいの認識が相対的だからといって、すべての認識が相互に等価値だということにはならない。プトレマイオスからニュートンにいたる過程に進歩があったのと同じように、ニュートンからアインシュタインにいたる過程に進歩があったことも否定しえない。

だからこそ、科学の歴史があるのだし、この歴史は規範的であると同時に不可逆的なものだ。つまり、この歴史においては、真理性の高いものが真理性の低いものに対置されるのであり、すでに理解され捨てさられた誤りに逆もどりすることはない。これこそが、バシュラールとポパーがそれぞれの流儀で示していることだ。いかなる科学も決定的ではない。しかるに、もし科学の歴史が、バシュラールのことばを借りれば、「すべての歴史のなかでももっとも不可逆的なもの」であるなら、それは、科学の歴史における進歩が論証可能なものであり、じっさいに論証されてきたものだということであり、つまり科学史における進歩とは、「科学という文化を推しすすめる原動力そのもの」だということだ。絶対的に真であったり、絶対的に検証可能であるような理論などない。だが、科学理論が問題であるばあいには、その理論を経験とつきあわせて、テストし、ポパーの言うように誤りを証明することが可能でなければならない。言いかえれば、万一のばあいにはその理論の虚偽性があきらかにされうるのでなければならない。こうした吟味に耐えられない理論は消えてゆき、それに代わって、この吟味に耐えぬいた理論が、以前の理論をみずからのうちに統合するか乗りこえるかしながら、存続してゆく。これは、いわば理論の文化淘汰だが（ダーウィンが種の自然淘汰という言いかたをしたような意味で）、このおかげで諸科学は進歩してゆく。ただし、進歩といっても、ときに誤解されるように、確実なものから確実なものへという意味ではなく、カヴァイエスのことばを借りれば、「深化と削除を通じて」という意味であり、さらにポパーの表現を借りて言いかえれば、「試行と誤りの除去とを通じて」という意味でのことだ。そのかぎりで、科学理論とは本質的に部分的で、暫定的で、相対的なものだ。こう言ったからといって、そんな理論はすべて拒絶してよいとか、そんな理論よりも無知や迷信のほうがまだしもだとかということにはならない——それは認識の拒否にしかならないだろう。科学の進歩は、どれほど華ばなしく疑いえないものであっても、みずからが相対的である（絶対的な科学はもはや進歩しえないであろう）ことと、部分的ではあれ真理をふくんでいる（科学のなかにすこしの真理もなければ、科学が進歩することがありえないばかりでなく、それはもはや科学ではありえない）こととを認めるものだ。

懐疑主義と詭弁

そうは言っても、認識と科学とが同じものだと考えられているわけではないし、認識が科学に還元されるわけでもない。きみは自分の住所や誕生日、隣人や友人や趣味など、そのほかにも科学から教えられたわけでも科学によって保証されるわけでもない無数のことがらを知っている。知覚も経験も、どれほどあいまいであれひとつの知識であり（スピノザはこうしたものを第一種の認識と呼んでいた）、これがなければそもそも科学もありえないだろう。したがって、「科学的真理」とは冗語表現ではない。科学的ではない真理も存在するし、いつの日か真理でないことが判明するかもしれない科学理論も存在する。

たとえば、きみが法廷で証言しなければならないとしよう……。きみに求められるのは、あれこれのことがらについての科学的証明ではなく、きみの信じていること、というよりはきみの知っていることをそのまま述べることだ。きみがまちがえることはありうるだろうか。もちろんだ。だからこそ、複数の証言のあることが望ましい。でもこの複数性そのものにしても、そこに真実がありうると思われるばあいにしか意味をもたないし、そうでなければ正義はありえない。もし真実にいたる道がぼくたちに閉ざされているなら、あるいは真実などそもそもないなら、罪人と無実の人間とのあいだには、さらには証言と中傷のあいだにも、正当な裁判と誤審のあいだにも、なんのちがいもないことになるだろう。そんなことになれば、歴史修正主義者や反啓蒙主義者、うそつきなどと闘うことになんの意味があるだろうか。

ここで肝心なのは、懐疑主義と詭弁とを混同しないことだ。モンテーニュやヒュームのような懐疑主義は、なにひとつ確実だとは考えないという態度であり、そうするにはそれなりの理由がある。普通ぼくたちは、疑いの余地のないもののことを確実と呼ぶ。人びとは数千年のあいだ、大地が動かないということを確実だと思っていた。しかし、人間たちの確信と関係なく、大地は動いていた……。確実性とは証明された認識のことなのだろうか。でも、証明が信頼できるのは、ぼくたちの理性が信頼できるものであるかぎりでのことだ。しかるに、理性が信頼できることを証明する手段も理性によるしかないというのに、どうすれば理性が信頼できるものであることを証明できるというのか。モンテーニュはこう言っている。「事物から受けとる表象を判断するには、そのための道具が必要だ。この道具の正しさを確かめるには、それを証明することが必要となる。その証明の正しさを確かめるには、道具が必要となる。こうしてわれわれは循環に陥る」。これは認識の循環であり、このために認識が絶対的なものだとは言いはれなくなる。出口はあるのだろうか。理性か経験を用いるよりほかに手だてはない。だが、このいずれも出口にはなりえない。なにしろ、経験は感覚に依存しており、理性はそれ自身に依存している。モンテーニュは、こうつづける。「諸感覚は、不確実であるために、私たちの議論にけりをつける力をもたない。だからこそ、理性がその力をもたなければならない。しかるに、どの理性も自分以外の理性がなければ、確証されえない。こうしてわれわれは無限遡行に陥る」。循環か無限遡行かの二者択一しかない。選択の余地すらないと言ってもよい。認識を可能にしてくれる当のものが（感覚や理性や判断）、認識を確実なものへ昇格させることを不可能にするのだ。

ジュール・ルキエのすばらしい定式がある。「自分が真理をもっとも確実に掌握していると思うとき、ひとは自分がそう思っているだけだということを知るべきであって、知っていると思ってはならない」。ヒュームと寛容に栄光あれ。

モンテーニュにかんするマルセル・コンシュのみごとな定式もある。なるほどぼくたちはいくつもの確実だと思われることがらを有しており、そのうちのいくつかは権利上からして確実なものだとさえ（つまり、絶対的に基礎づけられあるいは正当化された確実なものだと）思われる。しかし、「権利上の確実さをもちうると思われるものの確実性にしても、事実上の確実性にすぎない」。こうして厳密には、どれほど堅固な確実性も、なんの証明にもならないという結論を引きださざるをえない。絶対的にたしかな証明など存在しない。

では、考えることを拒否すべきなのだろうか。そんなことはない。パスカルの言うところでは、「真の証明が存在するということはあるかもしれないが、それもたしかではない」。じっさいこのことは、証明されることではない――なぜなら、真の証明があるということはあらゆる証明の前提なのだから。「真の証明がある」という命題は、証明不可能な命題だ。「数学は真だ」という命題は、数学的証明を受けいれる余地をもたないし、「実験科学は真だ」という命題は、実験による証明を受けいれる余地をもたない。でも、こう言ったからといって、数学や物理学、生物学をおこなう必要がないということとにはならないし、証明や実験がたんなる意見以上の価値をもち、たんなる意見以上によいものだと考える根拠がなくなるわけでもない。すべてが不確実だとしても、それは真理の探究を放棄してよい理由にはならない。なぜなら、これもパスカルが述べていたように、すべてが不確実だということも、けっして確実なことではないからだ。その意味では懐疑主義者が正しいと言ってもよいが、同時に、それを証明することもできないことになる。ピュロニズム〔ピュロンは古代の懐疑主義の祖〕とモンテーニュに栄光あれ。懐疑主義は合理主義の対極にあるのではない。懐疑主義とは、その極限にまで推しすすめられた明晰な合理主義にほかならず、この極限においては、理性は厳密さを期するあまり、みずからの外見上のたしかさを疑うところにまでゆきつくのだ。なにしろ、外見などなんの証明にもならないのだから。

詭弁はこれとは別のものだ。それは、なにもたしかではないと考えるのではなく、なにも真ではないと考える態度だ。モンテーニュもヒュームもそんなことを書いたためしがない。そんなことを信じていたとしたら、彼らは哲学することなどできなかっただろうし、哲学する理由さえもたなかったことだろう。懐疑主義は独断主義の対極だ。詭弁術は合理主義の、つまりは哲学の対極だ。なにも真ではないなら、ぼくたちの理性にはなにが残されているのだろうか。ぼくたちはどうやって討議したり、議論したり、認識したりできるのだろうか。「各人には各人の真理を」ということになるのだろうか。もしそれが当たっているなら、真理などすこしも存在しないことになるだろう。なにしろ、真理とは、普遍的なものであるという条件のもとでしか意味をもたない。たとえば、いまきみがぼくのこの小さな本を読んでいることを知っているのは、もしかしたらきみひとりだけかもしれない。でも、そのことは普遍的に真だ。いつでもどこでもみんなが無知であり、あるいは嘘をついているというのでもないかぎり、だれにもこれは否定しえない。だからこそ、アランの言ったように、「普遍こそが思考の場である」のだし、ぼくたちはすくなくとも権利上は真理は万人のものだ。真理はだれのものでもない。だからこそ、権利上は、真理のまえではみな平等だ。真理はなにかに仕えるものでもない、だからこそ、真理は自由なものであり、ぼくたちを自由にしてくれるものだ。

詭弁家たちがまちがっていることは、もちろん証明はできない（なにしろあらゆる証明は、すくなくとも真理の観念を前提するのだから）。でも、彼らが正しいということも、首尾一貫したやりかたで考えることはできない。真理がないなら、真理がないというこことも真理ではないだろう。ニーチェの考えたように、すべてが嘘なら、すべてが嘘だというのも嘘であることになる。だからこそ、（懐疑主義とはちがって）詭弁術は矛盾しており、哲学としては自己崩壊することになる。詭弁家はそんなことなどまるで気にかけない。矛盾など彼らにはなんでもないし、哲学でもってやるべきこともなにひとつない。しかし、哲学者たちは、ソクラテス以来、哲学を気にかけている。彼らにはそうするだけの理由がある。その理由とは、理性そのものと真理への愛とにほかならない。なにも真ではないなら、なにをどう考えてもよいことになる。それこそ詭弁家たちの望むところだ。だがそうなると、もはやなにも考えられなくなる。それは哲学の死にほかならない。

真と思われるものとはちがうものにしたがい、あるいは真理を真理そのものとはちがうものに（たとえば、強制や利害や欲望やイデオロギーなど……に）したがわせる思考をまとめて、ぼくは詭弁的と呼ぶ。そうした思考からぼくたちをへだててくれるものこそが、理論的次元においては認識であり、実践の次元においては誠実さだ。というのも、真なるものも偽なるものもまったくないとしたら、認識と無知のあいだには、誠実さと嘘のあいだにはなんの差異もないことになってしまうからだ。そうなれば、科学はもちろん道徳も民主主義も生きのこらないことだろう。すべてが偽りなら、なんでもありになる。実験や論証に細工することもできるし（たしかな実験も論証もありえないのだから）、迷信を科学と同じ次元に置くこともできるし（両者を分かつどんな真理もないのだから）、無実の人間を有罪にすることもできるし（真実の証言と偽証とのあいだにはどんなしかるべきちがいもないのだから）、どれほどはっきりしている歴史的真理でさえ否定することができるし（そうした真理にしても、そのほかの真理と同様に嘘なのだから）、犯罪者を放置しておくこともできるし（彼らが罪人だというのは真実ではないのだから）、自分が犯罪者であることを正当化することさえできるし（かりに犯罪者だとしても、それは真実ではないのだから）、そうなれば、どんな票決にも有効性を認めないことさえできることになる（投票というものは、その結果が確実に認識されているばあいにしか、意味をもちえないのだから）……。こうした危険のわからないひとがいるだろうか。なにを考えてもよいとしたら、なにをやってもよいことになる。詭弁術はニヒリズムにゆきつき、ニヒリズムは野蛮にゆきつく。

認識の進歩

だからこそ、知には精神的な力や文明的な力が付与されている。「啓蒙とはなにか」とカントは問うた。彼の答えは、人間が未成年の状態から脱することだというものだが、これは認識によってのみ可能となる。「あえて賢くあれ〔Sapere aude!《サペレ・アウデー》〕。自分自身の悟性を使用する勇気をもて。これこそが啓蒙のモットーだ」。けっして説教じみたものになるわけではないが（認識することは価値判断をくだすことではないし、価値判断をくだすことは認識することではないのだから）、やはりすべての認識は、道徳の一課程ではある。どんな道徳も認識なしでは存在しえないし、認識に逆っても存在しえない。

だからこそ、プラトンの言ったように「魂の全体でもって」真理を探究しなければならないのだし、おそらく魂とは、この探究にほかならないことになろう。

また、そうだからこそ、けっして真理の探究に終わりはない。その理由は、ぼくたちになにも認識できない——そんなことはまずありそうにない——からではなく、すべてを知ることがけっしてできないからだ。あの偉大なアリストテレスは、いつものようにすばらしい節度をもって、事態を申しぶんなく捉えてこう述べていた。「真理の探究は、難しくもあれば容易でもある。だれも絶対的に真理に到達することはできないが、まったく真理を欠くこともありえない」。

こうしたわけで、ぼくたちはつねに学んでゆくことができるのだし、（絶対的に真理を所有していると言いはる）独断論者も、（真理など存在しないし、真理に到達することは絶対に不可能だと言いはる）詭弁家もともにまちがっている。

絶対の無知と絶対の知とのあいだにこそ、認識のための、認識が進歩してゆくための場がある。みなさん、どうか励んでください。

第六章　自由

「自由とは、自分で課した法に服従することだ」——ルソー

行為の自由

自由であるとは、したいことをするということだ。だがこれは、いくつもの異なった意味に解される。

第一にこれは、することの自由、行為の自由を意味する。したがって、拘束や障碍や隷従の対極をなす。ホッブズによれば、自由とは「任意の動きに対立するあらゆる妨げの不在ということにほかならない。してみると、壺のなかにいれられた水は、壺によって自由に流出することを妨げられているわけだから、自由ではない。壺が壊れれば、水は自由をとりもどす。人間もこんなふうに、程度の差こそあれ、自分に与えられている余地に応じて、自由を享受している」。つまり、この意味においては、だれからもなにものからも邪魔されることがないばあいに、ぼくは行為する自由をもっていることになる。この自由はけっして絶対的なものではないが（いつだってさまざまな障碍があるものだ）、こうした自由がまったくないということもほとんどない。独房のなかの囚人にさえ、普通は、座ったり立ちあがったり、しゃべったり口をつぐんだり、脱走の用意を

したり看守におもねったりする自由は残されている……。また、どの国でもどの国民でも、自分の望むことをなんでもできるわけはない。ほかの人びとやもろもろの法が、その数だけ拘束を課してくるものであり、危険や困難を覚悟することなしには、それらからは逃れられない。だからこそ、このような自由をなざすために、ときとして政治的な意味での自由という言いかたがされる。けだし、国家こそは自由を制限する第一の力であると同時に、おそらくは自由を保障する力をもった唯一のものだ。全体主義国家よりも自由民主制のほうが自由は大きく、自然状態よりも法治国家のほうが自由は大きい。ある人びとの自由とそのほかの人びとの自由が、対立しあうのではなく共存し、破壊しあうのではなく強めあう（たがいに制限しあうというありかたにおいてであれ）ことを可能にするのは、法だけだ。ロックの言うように、「法のないところには自由もない」というのも自由の本質は、他人に侵害されたり損なわれたりすることがないというところにあるのだから。法のまったくないところでは、そういったことはありえない」。国家はきみの自由を制限するだろうか。それはたしかだ。でも国家は、ほかの人びとの自由をも制限する。だからこそ、きみの自由がほんとうに存在することにもなる。法がなければ、暴力と恐怖しか残らない。いつも脅かされ威嚇されている個人ほど不自由な者がいるだろうか。

したがって、自由であるとはしたいことをすることだ。これが行為の自由ということであり、政治的な意味での自由ということであり、物理的で相対的な自由ということだ。

これが、ホッブズやロックやヴォルテールの考える自由であり（「自由とは行為する能力だ」）、おそらくはその実在も価値も否定されえないただひとつの自由だ。

意志の自由

しかし、自分の望むものを望む自由というものもあるのではなかろうか。これが自由という語の第二の意味だ。これは、意志の自由であり、形而上学的な意味での自由であり、ばあいによっては絶対的なあるいは超自然的な自由とも言われる。哲学的には、このような意味での自由こそが、もっとも問題をはらんでいるものであると同時に、もっとも関心を惹くものでもある。

一例を挙げてみよう。民主主義の名に値する民主制においては、きみは選挙のさいに好きな候補者に投票する自由がある。投票所のしきられた一角のなかでのきみの行為の自由は、（じっさいに立候補している候補者のなかから選ばなければならないという点で）絶対的ではないにしても全面的なものであり、だからこそじっさいにきみは自分の望む候補者に投票することができる。このばあい、政治的な自由とは行為の自由にほかならない。

だがきみには、好きな候補者のために投票することを望む自由もあるだろうか。もしきみが左寄りであるとしたら、きみに右寄りの候補者に投票することを望む自由はあるだろうか。もしきみが右寄りであるとしたら、きみに左寄りの候補者を優先する自由はあるだろうか。もしきみがどちらのがわにも属していないとしたら、きみにいずれかを選ぶ自由はあるだろうか。きみは自分の意見や欲望、恐れや希望を自由に選ぶことができるだろうか。どうやったらできるというのか。なにしろ選択というものは、まったくの恣意的な選択になるばあいを別にすれば――それはもはや選択ではない――、ほかの意見や欲望、恐れや希望があるばあいにしかなりたちえない。適当に投票するのは、自由な投票とは言わない。だが、自分の望む相手に投票することは、そう決定した自分の意志や社会的・心理的・イデオロギー的な原因にとらわれたままであるということになるのではなかろうか。選択はさまざまな意見とのかねあいでおこなわれる。しかし、自分の意見を選ぶ者などいるだろうか。

スピノザはこう言っている。「人間たちは、自分が自由だと思っている。なぜなら、自分の意志や欲望は意識していても、気づかないうちに自分に欲望したり意志したりさせている原因があるなどとは、考えもしなければ夢想することさえしないものだから」。きみがしているのは、自分の望んだことだろうか。もちろんだ。でも、なぜきみはそれを望むのだろうか。きみの意志は現実にしたがっている。ほかのすべてのものと同様、きみの意志も充足理由律にしたがっているし（なにものも理由なしには存在しない。あらゆるものは説明される）、因果律にもしたがっているし（なにものも無からは生じない。あらゆるものには原因がある）、最後に巨視的な存在についての一般的決定論にしたがっている。そして微視的な観点においては、究極的な非決定論がなりたつように思われるとしても（かつてエピクロス派がそう考えていたように、そして現代の量子物理学によって確認されつつあるように）、大脳生理学の観点においては、きみを構成しているもろもろの原子によってきみが決定されていることに変わりはない。もし原子の運動がランダムだとしたら、それらがきみの意志にしたがうことなどあるはずもない。むしろきみの意志のほうが原子に依存しているということになる。偶然的なものに自由はない。どうして偶然的な意志が自由でありうるというのか。

投票所のしきられた一角よりも立ちいり不可能な秘密の場所がある。それはきみの大脳のなかであり、だれも、きみ自身でさえそのなかには入れない。きみはどんな票を投じるのだろうか。きみに選択権はあるのだろうか。それはもちろんだ。では、きみに選択をおこなわせる神経のメカニズムについて、きみはなにを知っているのだろうか。

結局この選択は、きみがそれを自由におこなったばあいでも、やはりきみという存在にしたがっている。ほかの数千もの人びとは、それぞれにちがったやりかたで投票の相手を決めたことだろう。ところできみは、ほかのだれでもなくきみであることをいつ選んだのだろうか。

これはたぶんもっとも難しい問題だろう。選択する主体（「自我」）を選ぶのが私でないなら、私がおこなうすべての選択は、私が選択したわけではない私という存在によって決定されており、したがって絶対的に自由な選択ではありえないことになる。では、いっさいの選択が私という存在にかかっているというのに、そして私に選択ということができるのも、私がすでにしてなにものかでありなにかであるという条件のもとにおいてでしかないというのに、どうして私に、私がなんであるかを選択することなどできるのだろうか。

これは、『運命論者ジャックとその主人』のなかでディドロが提起する二つの問いと連関している。「ぼくがぼくでない者であることはできるだろうか。そして、ぼくがぼくだとしたら、自分とちがうふうに意志することはできるだろうか」。これができないとすれば、自我は牢獄だということになる。そのような自我がどうすれば自由になりうるというのか。

意志の自発性

以上のことから、意志の自由などないとか、そんなものはまったくの幻想にすぎないなどと性急に結論づけてもらっては困る。繰りかえしておくなら、自由であるとは自分のしたいことをするということだ。だから、意志する自由があるということは、自分のしたいことを望むということにほかならない。この自由が欠けることはない。それはぼくが保証する。なぜといって、自分の望むものを望まないでいるとか、望むものとは別のものを望むとかいうことはありえないからだ。

意志の自由は存在しないどころか、いま述べた意味においてなら、一種の冗語表現だ。ストア主義者の述べたように、あらゆる意志は自由だ。だからこそ、（デカルトが実現されつつある行為にかんして述べたように）「自由に行為することと、自発的に行為することと、意志にもとづいて行為すること」の三つは、どれを同じことを意味している。このような自由の存在を疑った哲学者はほとんどいないが、この意味での自由をこそ、意志の自発性と呼ぶことができる。これはエピクロスやエピクテートスの考えた意味での自由だが、根本的な点では、アリストテレスやライプニッツ、ベルクソンの考えた意味での自由でもある。これこそが意志の自由ということであり、というよりもぼくだけに依存するかぎりでの意志そのものにほかならない（かりにこのぼくが決定されたものであったとしても）。ぼくには自分の望むものを望む自由があり、だからこそじっさいにぼくは自由なのだ。

　ぼくの大脳がぼくに命令をくだしているのだろうか。そうかもしれない。でも、もしぼくがぼくの大脳であるなら、つまりはぼくがぼくに命令をくだしているということになる。ぼくがぼくという存在によって決定されているということが証明しているのは、ぼくの自由が絶対的なものではないということであって、ぼくに自由がないということではない。こうした意味で、自由とは自分で決定をくだせるという決定された能力以外のなにものでもない。現代の神経生理学者たちの言うように、大脳は「開かれた自己組織化のシステム」なのだろう。私がこのシステムに依存しているということは、まったくもってほんとうのようだ。しかし、ほかのなにものでもなく自分という存在に依存しているということこそが、自律の定義そのものにほかならない。意志が従属的なものでも、もろいものでもないことを言いあらわすために、決定された意志という言いかたがされるのにも、それなりの理由がある。決定された意志とは自由の対極をなすものではなく、現にはたらいている自由そのものにほかならない。

ちなみに言っておくなら、ここで問題にされているのが大脳なのか非物質的な魂であるのかは、どうでもよいことだ。いずれにせよ、自由であるとは、つねに自分という存在に依存しており、原理上それだけに依存しているということだ。ベルクソンによれば、「われわれが自由であるのは、われわれの行為がわれわれの人格全体から発していて、その行為が人格全体を表現しており、作品と芸術家のあいだにときおり見られるような定義しがたい類似性が、行為と人格とのあいだにもあるばあいだ」。たしかにラファエロは、ラファエロになるかミケランジェロになるかを選んだわけではなかった。でも、そのことが自由に描くことの妨げになったどころか、逆にそれこそが彼に自由に描くことを可能にした。無が自由だと言えるだろうか。自我をもたない存在に選択ができるだろうか。ベルクソンはつづけて、「こうしたばあい、われわれは性格という万能のものの影響に屈するのだと、強弁されるかもしれない」と言う。だが、「性格、それもまたわれわれなのである」以上、この非難が空疎であることも即座にあきらかになる。そして、自分に影響されるということこそが（そうならないことがありえようか）、自由であるということにほかならない。ベルクソンの結論はこうだ。「要するに、自我から、それも自我だけから発するあらゆる行為を自由と呼ぶのが適切であるなら、われわれの人格の刻印を帯びている行為は、まぎれもなく自由だ。なぜなら、われわれの自我だけがその父権を要求しうるものなのだから」。これこそ、ぼくが意志の自発性と呼ぶものだ。この自発性が決定されたものだとしても、それが決定をくだすものでもあることに変わりはない。自発性は、まさに決定されたものであるかぎりでしか、決定をくだすものとはなりえない。ぼくはなんでも望めるわけではない。ぼくが望むのは、まさにぼくの望むものであって、そのかぎりでのみ、ぼくにはそれを望む自由がある。

自由意志

まさにそのとおりだ。でも、ぼくには自分の望むものとは別のものを望む自由もあるのではないだろうか。ぼくの意志とは自発的な選択能力なのだろうか（言いかえれば、自分という存在にしかしたがうことのない能力なのだろうか）、それとも無限定の選択能力なのだろうか（なにものにも、自分という存在にさえしたがうことのない能力なのだろうか）。はたしてぼくの自由は、（どこまでも自我に依存しているかぎりでは）相対的な自由なのだろうか、それとも（自我でさえこの自由に依存しているかぎりでは）絶対的な自由なのだろうか。ぼくは、たとえば自分が右寄りであるときには右寄りの候補者に投票し、左寄りであるときには左寄りの候補者に投票する自由をもつ（これが意志の自発性だ。ぼくは自分の望むほうを選んでいるのだから）というだけなのか、それとも右寄りの候補者にもあるいは左寄りの候補者にも投票する自由をもっている――このばあいには、きわめて特殊な状況は別にして、自分が右寄りであるのか左寄りであるのかをぼくが自由に選びとりうるということが前提となる――のだろうか。このような第二の意志の自由は、たしかに不可解なものだが（なにしろこの自由は、ぼくには自分の望むのとは別のものを望むことができると想定する点で、同一律に抵触するのだから）、しばしば哲学者たちから無差別の自由とか、それ以上に頻繁に自由意志と呼ばれている。マルセル・コンシュがこの意味での自由についてひとつのすばらしい定義を提供してくれた。彼によれば、「自由意志とは、なにものにも決定されることなく、自分で決定をくだす能力だ」。これは、デカルトやカント、サルトルの考える意味での自由だ。この自由は、ぼくのおこなうこと（ぼくの実存）がぼくという存在（ぼくの本質）によって決定されることなく、むしろ前者が後者を創造し、あるいは自由に選択してゆくことを前提している。サルトルはこう主張する。「デカルトが完璧に理解していたのは、自由という概念には絶対的な自律という要請がふくまれており、自由な行為とは、その萌芽が世界の先行する状態のうちにふくまれていることのありえない絶対的に新しい産物であり、したがって自由と創造とはひとつのものでしかないということだ」。だからこそ、この自由は、サルトルが見てとっていたように、「実存が本質に先だつ」かぎりでしか可能とはならないのであり、人間が自由であるとは、これもサルトルの言いかたを借りれば、人間が「最初はなにものでもなく」、そして「みずからがつくりあげるもの」にしかならないということだ。ぼくが自由なのは、自分がそれであるところのものではないことができると同時に、自分がそれでないところのものでもあることができる、つまりは自分を自分で絶対的に選択するという、逆説的としか言いようのない条件においてのみのことだ。『存在と無』でのサルトルの表現を借りれば、「各人は絶対的な自己選択だ」。

自己による自己の選択がなければ、自由意志などありえないし、思考することもできないのだが、この選択こそプラトンが『国家』の末尾でエルの神話というかたちで描きだし（そこでは魂が前世と来世とのあいだで、来世におけるおのれの身体と生とを選択する）、カントが叡智的性格と呼び、サルトルが、別の問題系においてのことではあるが、あらゆる選択に先だちあらゆる選択が依存する当のものである根源的自由と名づけたものにほかならない。このような自由は絶対的に存在するか、まったく存在しないかのいずれかだ。それは自分で自分を決定する無限定の能力であり、言いかえれば自分で自分を創造する自由な能力だ。だからこそ、ある人びとによれば、この自由はただ神にのみ属しており、ぼくたちにその能力があれば、ぼくたち自身が神になってしまう。

精神の自由

こうしたわけで、自由には行為の自由と意志の自由という二つの原理的な意味があり、第二の自由は、さらに意志の自発性と自由意志という二つに下位区分されることになる。これですべてなのだろうか。そうではない。なぜなら、思考もまたひとつの行為だからだ。自分のしたいようにすることは、自分の望むように考えることと同等になるばあいがある。その前提には思考の自由という問題が、言いかえれば精神の自由という問題がある。

この問題は、一方では行為の自由の問題と重なり、したがって政治的な意味での自由の問題と重なる。思考の自由（そしてそのための前提となるすべてのもの、たとえば情報の自由や表現の自由、討論の自由など……）は、人間のもろもろの権利の一部をなしており、民主主義のさまざまな要求のひとつだ。

だが、それだけにはとどまらない。たとえば数学の問題が与えられたとしよう。ぼくにそれを解決する自由があるというのは、どんな意味で言われるのだろうか？　自由選択という意味でだろうか？　むろんそうではない。証明を理解すれば解答はおのずと思いうかぶし、理解できなければ思いつきもしない。このばあい、推論をはたらかせるぼくにたいして、いかなる強制も外部から課せられてはいない。ぼくは自分の望むように考える、つまり、自分が正しいと思う（あるいはそう信じる）とおりに考える。このような知がなければ、どんな自由も実効性をもちえない。部分的にでさえ真理にいたる可能性が精神になかったとしたら、精神は自己に囚われたままだろう。精神のおこなう推論にしても、よくある錯乱のひとつでしかないことになり、どんな思考もその兆候でしかないことになる。理性こそがぼくたちを自己から分かつものだ。理性とは、ぼくたちを普遍的なものへ開いてくれることで、ぼくたちを自己への囚われから解放してくれるものだ。「思考はけっして服従するものであってはならない。たとえば幾何学の証明がそれを十分に示している。もしきみたちが証明を鵜呑みにしたとしたら、きみたちはまぬけだし、思考を裏切っている」とはアランのことばだ。だからこそ、暴君は真理も理性も好まない。なにしろ、真理も理性もそれ自身にしかしたがわない自由なものなのだ。たしかにぼくたちは、なんでも考えられるというわけではないが、真理が必然的であることは真理が自律的であることの定義そのものだ。

ユークリッド空間において、三角形の三つの角の和は何度になるか？　ぼくの身体、環境、国、無意識などがどんなものであれ、それればかりかぼく自身がどんなものであれ、ぼくには——ぼくが証明ということを知っていて、それがなんであるかがわかっているというかぎりでは——「一八〇度」と答えることしかできない。そしてぼくは、こんなふうに真理を知っているかぎりは真理だけに、つまりは理性だけにしたがっており、言いかえれば、自分のうちにありながら自分ではなく、それでいてぼくを貫いていてぼくがちゃんとわかっている必然性にだけしたがっているわけだが、それでいて言うまでもなく、このばあい以上にぼくが自由であることはない。

こうした例はいくらでも挙げられる。三かける七はいくつか？　質量とエネルギーの関係はどうなっているのか？　アンリ四世を殺したのはだれか？　太陽が地球の周りを回るのか、それとも地球が太陽の周りを回るのか？　答えを知らないひとにしか、どう答えるかを選択することはできない。答えを知っているひとにしか、自由に答えることはできない。

精神の自由とは理性の自由にほかならない。これは自由な選択ではなく、自由な必然性であり、真理の自由であり、自由としての真理だ。これこそがスピノザやヘーゲルの考えた意味での自由だが、おそらくはマルクスやフロイトの考えた自由でもある。つまり、理解された必然的なものとしての自由であり、必然性の理解という意味での自由だ。スピノザによれば、語の真の意味での自由とは、自分自身の必然性にしか服従しないことだ。だからこそ、理性は自由なものであり、ぼくたちを自由にしてくれるものなのだ。

叡智としての自由

行為の自由、意志の自発性、自由意志、精神ないし理性の自由……。これら四つの意味のあいだで、自分にもっとも重要だと、あるいはもっとも明白だと思われるひとつあるいは複数の意味を各人が選択すればよい(別にこれらの自由は相互排除的ではない)。この選択そのものは自由だろうか?　絶対的な答えを出すことはできないだろう。なにしろ、これに答えるにはどんな知も十分ではなく、どんな答えかたをしてみても、その答え自体がひとつの選択であり、その選択に依存していることになるのだから。自由は、問題でもあるが、同時に不可解な神秘だ。自由を完全に証明することも理解しつくすことも、ぼくたちにはできないだろう。この不可解な神秘こそがぼくたちをつくりあげている。だからこそ、だれもが自分にとってひとつの不可解な神秘なのだ。ぼくが自分という存在であることを選ぶということは、プラトンの考えたように、別の生においてしかなしえないだろうし、カントの述べたように、別の世界においてしかなしえないだろうし、あるいはサルトルの述べたように、すくなくとも意志的な決定とは別のレベルにおいてしかなしえないだろう。だが、そんな別の生についても別の世界についても別のレベルについても、定義からしてぼくたちはなんの認識ももちえない。だからこそぼくたちには、けっしてそれを証明することはできないにしても、自分たちが（自由意志という意味で）自由だと信じることはできるのだ。

それればかりか、肝心な点はここにはないということもありうる。自由の以上の四つの意味のうち、すくなくとも行為の自由と意志の自発性と理性の自由な必然性の三つは、めったに疑いの対象にならない。これら三つの自由は、ぼくたちから見るなら、相対的にしか実在しないという点で共通しており（ぼくたちが行為したり、意欲したり、認識したりするさいの自由には、程度の差がある）、それだけで賭け金を固定するには十分だ。肝心なのは、きみが絶対的に自由であるかどうかを知ることではなく、どうすればきみがさらに自由になることができるかを理解することだろう。ひとつの不可解な神秘としての自由意志など、過程でもあれば、目標でもあり、労苦でもあるような解放以上に重要なものではない。

ぼくたちは自由に生まれるわけではなく、自由になってゆく。すくなくともぼくはそう信じているし、だからこそ自由は絶対的なものにも、無限なものにも、決定的なものにもならない。ぼくたちの自由には程度の差がつきものであり、だからこそ大切なのは、できるかぎり自由になろうとすることだ。

かりにサルトルの言いぶんが正しいとしても、この最後の点にかんしては、ぼくがまちがっているということにはならないだろう。ぼくたちがすでに自由であるにせよそうでないにせよ、ニーチェの言ったように、やはりぼくたちは自分自身になってゆかなければならない。サルトルの考えたように、各人が「絶対的な自己選択」であるにしても、行為したり、意欲をもったり、認識したりすることが、ぼくたちにとって不要になるわけではない。

自由はひとつの不可解な神秘に尽きるものではない。自由は目標であり理想だ。神秘が完全には解明されえないものだからといって、理想がぼくたちを照らしだしてくれるものであることが否定されるわけではない。目標が完全には到達されえないからといって、目標をめざすことや目標に近づこうとすることまでもが否定されるわけではない。

肝心なのは、執着を断ちきる術《すべ》を学ぶことだ。そのときに生まれる自由とは、スピノザを読めばわかるように、叡智の別名にほかならない。

第七章　神

「神を信じるとは、人生が意味のあるものだとわかるということを意味している」
――ウィトゲンシュタイン

神が存在するのかどうか、ぼくたちにはわからない。だからこそ、神の存在を信じるか否かという問いが提起される。

「信仰に場所を空けるために、知を制限する」とは、カントの有名なことばだ。だが、これは、知が事実上制限されているということだ。といっても、それは、たんにぼくたちにはけっしてすべてを知ることができないという理由からではなく――それは当たりまえのことだ――、本質的なことがらはいつもぼくたちの眼を逃れるものだからだ。ぼくたちは、もろもろの第一原因がなんであるかも究極目的がなんであるかも知らない。なぜなにも存在していないのではなく、なにかが存在しているのだろうか。ぼくたちにはその答えはわからないし、わかるようになることもけっしてないだろう。なんのために（なんの目的で）存在しているのか。その答えはなおのことぼくたちにはわからない。しかし、かりに目的があったとしても、それがなんなのかはぼくたちにはわからないし、なにものも無からは生まれないというのが正しいとするなら、なにか――世界や宇宙――が存在しているというただそれだけのことでも、いつでもなにかが存在してはいたということを含意しているように思われる。そのなにかは永遠のものであり、創造されずに存在しており、ことによると創造するものなのかもしれない。そしてそれこそが、ある人びとによって神と呼ばれるものだ。

　神はあらゆる時間にわたって存在しているのだろうか。むしろ神は、時間の外に身をおく存在であり、あらゆる事物を創造したのと同じように、時間をも創造したのだ。創造以前には神はなにをしていたのだろうか。アウグスティヌスによれば、神はなにもしていなかったのだが、それはじつは創造以前にはなにもなかったということなのであり（なにしろ、「以前に」ということはいつでも時間を想定しているのだから）、神の「永遠の今日」しかなかったということだ。この「永遠の今日」は、昼でもなければ（どんな太陽でこの昼の一日を計測するというのか。太陽そのものがこの昼に依存しているというのに）夜でもなく、ぼくたちが生き、このさき生きてゆくすべての昼と夜はもちろんのこと、だれによっても生きられたことのない無数の昼と夜のすべてに先行してそれらをふくんでいる。永遠とは時間のうちにあるものではない。時間こそが永遠のうちにあるのだ。神は宇宙のなかにいるものではない。宇宙こそが神のなかにあるのだ。そのばあい、神を信じるとはどういうことなのだろうか。そんな疑問は、まったくとるに足らない問いのように思われる。絶対に必然的なこの神という存在なくしては、なにものも存在理由をもたないことだろう。だとすれば、神が存在しないなどということがどうしてあるだろうか。

存在論的証明

世界の原因や世界の終わりと同様、神も世界の外に身をおいている。あらゆるものは神に由来し、あらゆるものは神のうちにあり（聖パウロのことばを借りれば、「私たちがあらゆるものをもち、運動や生命をもつのは、神のうちにおいてのことだ」）、あらゆるものは神をめざしている。神は存在のアルファにしてオメガだ。まさに絶対の存在であり――絶対に無限であり、絶対に完全であり、絶対に現実だ――、これなくしては、相対的なものはすべて実在しえないことだろう。なぜなにも存在していないのではなく、なにものかが存在しているのだろうか。それは神がいるからだ。

だからといって、問題（なぜなにも存在していないのではなく、神が存在しているのか）がなくなるわけではないと言われるかもしれない。それはまったくそのとおりだ。しかし、おのれ自身の存在にたいする問いに――おのれ自身にかんして、おのれ自身によって、おのれ自身のうちで――答える存在も、神であることだろう。さまざまな哲学者の主張するところでは、神とは自己原因であり、この神秘（どうすればある存在者がおのれ自身の原因となりうるのだろうか）こそが、神の定義の一部をなしているほどなのだ。スピノザはこう述べている。「私は、自己原因ということで、その本質存在のうちに事実存在がふくまれているもののことを、言いかえれば、その本性を現実存在しているものとしか考えられないもののことを考える」。これは神にしか当てはまらない。そのようなものが神そのものだ。すくなくとも、これこそが哲学者の考える神だ。「どうすれば神は哲学のうちに組みいれられるだろうか」とハイデガーは問い、それは自己原因としてだと答える。「存在者の存在は、根拠という意味では、自己原因としてしか考えられない。これによって、形而上学的な神概念に名称が与えられる」。さらにハイデガーは付言する。この神にたいして「人間は、祈りを捧げることも、犠牲を捧げることもなしえない」。だが、どんな祈りも犠牲も、そもそも神がいなければ、哲学的には思考不可能だ。神とはなにか。絶対的に必然的な存在（自己原因）であり、絶対的に創造する存在（あらゆるものの原因）であり、絶対的に絶対の存在（なにものにも依存しておらず、あらゆるものがそれに依存する）だ。それはもろもろの存在者にとっての存在そのものであり、あらゆるものの基礎だ。

　神は存在するのだろうか。定義上は、神は存在する。だからといって、神の定義を神の存在の証明とみなすことができるわけではない。

　これはつまり、西洋哲学全体を――すくなくとも聖アンセルムスからヘーゲルまでを――貫いている有名な存在論的証明のなかには、魅惑的であると同時にひとを錯誤へ導くようなものがあるということにほかならない。神はどのように定義されるのか。至高の存在として（聖アンセルムスのばあいがそうだ。「それよりも大きなものが考えられえない存在者」）、あるいはこのうえなく完全な存在として（デカルトのばあい）、絶対に無限の存在として（スピノザやヘーゲルのばあい）定義される。ところで、もし神が存在しないとしたら、神は最大のものでも、現実に無限のものでもないことになるし、――神にはその完全性という点で、なにかが欠けていることになる、とは最低限言えるだろう。だからこそ、定義からして神は実在する。神を考える（神を至高のものとして、完全なものとして、無限のものとして……思いえがく）ということは、神を存在するものと考えるということだ。デカルトによれば、「神の本質から神の事実存在が分離しえないのは、直角三角形の本質からその三つの角の和が二直角に等しいことが分離できず、山の観念から谷の観念が分離できないのと同様だ。したがって、事実存在を欠いている（ということはつまり、いくらか完全性を欠いている）神（すなわちこのうえなく完全な存在）を思いうかべることは、すこしも谷をふくまない山を思いえがくことと同じく、矛盾だ」。これでは、山と谷が存在するということが証明されていないと言われるかもしれない……。それはそうだ、とデカルトも答えるだろう。だがそれでも、山と谷とはたがいに分離しえない。だとすれば、神にかんしても事情は同様であろう。神の事実存在は神の本質存在から分離不可能であり、つまりは神から分離不可能なのであり、だからこそ神は必然的に存在する。ヘーゲルによれば、神の概念は、「そのなかに存在をふくんでいる」。神とは、本質上存在している唯一の存在だ。

宇宙論的証明

このような存在論的証明がなにも証明してはいないことは明々白々だ。さもなければぼくたちはみな、信仰をもっているか——だが、そうでないことは経験からしてあきらかだ——、あるいは、ぼくたちはみな愚か者であるか——だが、これは経験だけでは確証されない——のいずれかだ。そもそも、定義などなんの証明にもなりえない。それはまるで、豊かさの定義をすれば自分が豊かになるとでも言うようなものだ。カントが言ったように、現実の百フランは、可能的な百フランより多くのものをふくんではいない。だが、百フランの「概念ないし可能性だけ」しかないばあいよりも、現実の百フランをもっているばあいのほうが、私が豊かであることは言うまでもない。金額を定義するだけでは、その金額を所有していることにはならない。神を定義するだけでは、神の存在を証明することにはならない。そもそも、概念を用いて現実存在を証明することなどできようか。となると、世界の存在こそが最良の論拠（もはやアプリオリな論拠ではなく、アポステリオリな論拠ではあるが）であるように思われる。そして、これこそが、宇宙論的証明の意味することだ。

　この証明のポイントはどこにあるのだろう。〈十分な理由の原理〉を世界そのものに適用することにある。ライプニッツはこう述べている。「なぜ事態がこのようになっていて、別なふうではないのかを示す十分な理由がなければ、いかなる事実も真であったり、実在したりすることはできないし、いかなる命題も真であることはできない」。これはつまり、実在するものはすべて、すくなくとも権利上は、みずからを説明できるのでなければならない――むろんじっさいには、ぼくたちにはそんなことはできはしないが――ということだ。しかるに、世界は実在しているが、自分でその理由を説明することはできない（世界は偶然的だ。なにしろ世界が実在しないこともありえたのだから）。だからこそ、世界の実在を説明するためには、世界の原因を想定するしかない。だが、この原因もまた偶然的であったとしたら、この原因はそれはそれでまた別の原因によって説明されなければならず、これが無限につづくこととなり、結果的にはもろもろの原因の完全な連鎖が――つまりは世界が――説明されないままに残ることとなる。こうして偶然的存在者の全体（世界）を説明するためには、またもやひとつの絶対に必然的な存在（神）を想定せざるをえないことになる。ライプニッツは、こうつづけている。
「事物の最終的な理由は、ひとつの必然的な実体のうちにあるのでなければならない。この実体においてはもろもろの変化の細部が、ちょうど源泉のうちにあるかのように、卓越したかたちで存在している。これこそ、われわれが神と呼ぶものにほかならない」。これを言いかえるなら、もし世界が存在するなら、神も存在するということであり、あるいは世界が存在する以上、神も存在するということだ。

　ライプニッツによって定式化された（だが、これはトマス・アクィナスの論証でもあったし、ある意味ではすでにアリストテレスの論証でもあった）、世界の偶然性にもとづく〔a contingentia mundi《アー・コンティンゲンティアー・ムンディ》〕この証明は、ぼくには、もっとも強力で、もっとも気にかかる、ときにぼくをぐらつかせさえする論証であるように思われる。偶然性とは、それをまえにしては当惑するよりほかない深淵だ。どうすれば世界が根拠も原因も理由もなしに存在するなどと言えるのだろうか。

そうはいっても、宇宙論的証明は、十分な理由の原理と同程度の妥当性しかもたない。ところで、こうした領域において、どうすればひとつの原理がなにごとかを証明できるというのか。世界の偶然性をもちだして神を証明しようとすることは、どこまでいっても概念（必然的原因という概念）から事実存在（神の事実存在）へ移行することにほかならず、だからこそ、カントの指摘にあるように、このような宇宙論的証明は結局のところは存在論的証明にゆきつくことになる。なぜぼくたちの理性が存在の規範になるというのか。どうすればぼくたちは、そうした規範の価値や射程や信憑性を絶対的に確信できるというのか。ただ神だけがそうしたものの保証となりうる。だからこそ、神が存在するということを理性的に証明することは禁じられることになる。なにしろ、ぼくたちの推論が正しいものであることを保証するには、神の存在を前提しなければならないのだが、その神こそが証明の対象にほかならないのだ。この深淵から逃れようとすれば、循環に陥らざるをえないが、それはあるアポリアから別のアポリアへ移行することだ。

それればかりか、宇宙論的証明なるものは、せいぜいのところ、ある必然的存在者の存在を証明するのが関の山だ。しかるに、この存在者がことばの普通の意味における神であることをぼくたちに保証してくれるものはなんだろうか。スピノザの主張にしたがえば、それは自然だということに、言いかえれば永遠で無限な存在だということになるのだろうが、自然にはいかなる主観性も人格性も認められない。意識もなければ、意志ももたず、愛することさえない存在であることを、神が受けいれるなどとはだれも考えないだろう。神が耳を傾けてくれないときに、神に祈ることになんの意味があるというのか。神がぼくたちになにも命令しないときに、神に服従することになんの意味があるというのか。神がぼくたちを愛してくれないときに、神を愛することになんの意味があるというのか。

自然－神学的証明

おそらくここに、神の存在にかんするよく知られた伝統的な証明の第三番目のものが由来する。それが自然－神学的《テオロジク》証明だが、ぼくとしては自然－目的論的《テレオロジク》証明と呼びたいところだ（ギリシア語でテロスとは、終わりや目的を意味している）。世界は、その起源にひとつの好意的で構成的な知性を想定しないことには説明できないほどに秩序づけられていて、調和をそなえており、あきらかに合目的的であることだろう。どうすればこれほどに美しい世界が、偶然からつくりあげられるというのか。どうすれば生命の出現や、生命の信じがたいほどの複雑性、生命のあからさまな合目的性が、偶然によって説明できるというのか。どこかの惑星で時計が発見されたとしても、だれもその時計が自然法則だけによって説明されるとは考えないだろう。だれだってこれはよく考えられた知性的な行為の産物だと思うだろう。しかるに、どれほど小さな生きものでも、どれほど精巧な時計よりも無限に複雑なしくみをもっている。時計さえ説明することのできない偶然なるものに、どうして生きものが説明できるというのか。

　科学者たちは、おそらくいつの日か説明できるようになると答えるだろう。だが、それにしても、長いあいだもっとも一般的に受けいれられ、もっとも直接的な説得力をもってきたこのような議論が（これはすでにキケロの主張した議論であったし、ヴォルテールやルソーの展開した議論でもあった）、こんにちではその明証性の大半を失ってしまっているのが認められるというのは、いまから見ても驚くべきことだ。これはつまり、調和に亀裂が生じた――宇宙のなかに偶然が介入し、世界のなかに恐怖が生まれた――ということであり、世界がどんな状態にあるのかが（自然の諸法則によって、偶然と必然によって、種の進化と淘汰によって、あらゆるものに内在している合理性によって……）ますます解明されるようになったということだ。ヴォルテールやルソーの言ったように、時計職人がいなければ時計はない。だが、地震やハリケーンや日照りや肉食獣や無数の病気を――人間をも――ふくんでいる時計とは、なんとお粗末な時計だろうか。自然とは残酷で不公平で冷淡なものだ。どうすればそこに神の手が見えるというのか。これは、伝統的に悪の問題と呼ばれるものだ。ほとんどの信者のやるように、この問題を一個の神秘たらしめてしまうのは、自分にはこの問題を解決する能力がないと認めるに等しい。そうなれば、自然－神学的証明は、その射程の本質的な部分をとりさられてしまう。この世界はあまりに苦しみに満ちていて（人間が出現するよりも前からそうだ。動物たちだって苦しんでいる）、虐殺や不正で満ちあふれている。生命は有機体の驚異なのだろうか。たぶんそうではあろう。だが生命は、悲劇と恐怖の恐ろしいほどの堆積でもある。無数の動物種がほかの無数の種でもっておのれを養っており、それによって生物圏には一種の均衡がなりたっている。だが、その代償としてどれほどの残虐な行為が生きものにたいしてなされていることか。最適種が生きのこり、そのほかの種は消えさってゆく。このようにして、一種の淘汰が種にたいしてなされている。だが、その代償として、どれほどの苦痛や不正が個体にたいしてくわえられていることか。自然の歴史はけっして模範となるものではない。人間の歴史はなおのことそうだ。ダーウィンの後にどんな神が存在しうるというのか。アウシュヴィッツの後にどんな神が存在しうるというのか。

理性の神と信仰の神

存在論的証明と宇宙論的証明と自然－神学的証明……。これは、神の存在にかんする三つの偉大な伝統的「証明」であり、神を主題とする本章では、これらに言及しないですませることはまず不可能だ。だが、カントが十分に示し、カント以前にすでにパスカルが認めていたように、これらの証明がそのじつなにも証明してはいないということも認めざるをえない。だが、そう認めたからといって、この二人の天才が神を信じなかったというわけではない。むしろそう認めたからこそ、彼らは彼らなりの信条をつくりあげた。それは信仰であって知識ではなく、恩寵ないし希望ではあっても、定理などではなかった。彼ら二人は、神の存在を証明するのを断念したからこそ、それだけいっそう神を信じた。彼らの信仰は、客観的には検証できないとわかっていたからこそ、ますます主観的には生きいきしたものになった。

これはこんにちでも通用する一般的規則だ。哲学史的な関心以外の理由から、あるいは神の存在の証明に寄せるみずからの信頼のゆえにこれらの証明に関心を寄せる現代の哲学者になど、まずお目にかかったことがない。これらは証明なのだろうか。かりにそうだとしても、それを信じる必要があるだろうか。証明されうるような神でも、神と言えるのだろうか。

こう言ったからといって、神について反省をめぐらしたり、これらの証明を吟味したり、別の証明を考案したりすることが禁じられるわけではない。たとえば、神の存在についての純粋に汎神論的《パンテイスト》な証明といったものを（ギリシア語で「パン」とは「すべて」を意味する）思いえがくことだってできるだろう。実在するものの総体を神と呼んでみよう。そうすれば、あらためて、定義からして（すべての実在するものの総体は、必然的に実在しているはずなのだから）神は実在することになる。だが、こんな証明にはなんの意味もない。なにしろこの証明は、そのばあいの神なるものがなんであるのかも、それがどれほどの意味をもつものなのかも、ぼくたちに語ってはくれない。万物の総体としての宇宙をもちだしてみたところで、すくなくとも当の宇宙にそんなものを信じる能力があるというのでもなければ、神などというものが存在すると思われるようにはなりそうもない。だが、宇宙が信じる能力をそなえているなんてことがあるだろうか。友人のマルク・ヴェツェルが言うところでは、「神とは、万物の自己意識だ」。そうかもしれない。だが、万物が意識をもつということを、なにがぼくたちに証明してくれるのだろうか。

　これらすべての証明は、余計なことまで証明していると同時に必要なことを証明していないという共通点をもっている。これらの証明が、必然的で、絶対的で、永遠で、無限で……あるようななにものかの存在を証明してはいるにしても、そのなにものかがほとんどの宗教において理解されている意味での神であることは、つまり、存在しているだけではなく人格であり、実在であるばかりではなく主体であり、なにものかであるだけではなくだれかであり、——一個の原理に尽きるものではなくひとりの父であるということは証明されていない。

　これは、カルト的でもドグマ的でもない信仰としての理神論〔神の存在をもっぱら理性のみによって証明しようとする立場〕の弱さでもある。ある女性読者がぼくに書いてよこしたところでは、「私は神を信じていますが、それはさまざまな宗教の教える神ではありません。そのような神は人間化された神にすぎません。ほんとうの神は知られえないものなのです……」。まさにそのとおりだ。でも、ぼくたちにまったく神が知りえないとしたら、それが神であることはどうやってわかるというのだろうか。

　神を信じるということは、すくなくともわずかではあれ神について知りうる——そのためには、理性か啓示か恩寵が必要となる——ということが前提となる。だが、理性はそれが進展すればするほど、無力であることがあらわになる。だから、残るのは啓示と恩寵だ。つまりは宗教が残るということだ……。どちらがふさわしいのだろうか。このばあいそれはどうでもよい。なにしろ、哲学には両者を区別する手だてが欠けている。哲学者の考える神は、ぼくたちの大半にとっては、預言者や神秘主義者や信者たちの考える神よりも、はるかに重みを欠いている。この点については、デカルトやライプニッツよりも、パスカルとキルケゴールのほうが核心を押さえている。彼らによれば、神とは思索の対象ではなく信仰の対象だ。というよりも、神はいささかも対象などではなく主体であり、絶対的に主体であって、出会いか愛においてしかあらわれることがない。「アブラハムの神、イサクの神、ヤコブの神。それは哲学者や学者の神ではない。確信であり、感情であり、歓喜であり、平和だ。それこそがイエス・キリストの神だ。〔……〕歓喜、歓喜、歓喜、歓喜の涙」。これはなんら証明ではない。だが、信仰にとっては、このような経験を欠けば、どんな証明も十分なものとはならない。

　おそらくここで、哲学は歩みを止めてしまう。自分が見知っているものを論証することになんの意味があるのだろうか。自分が出会うことのないものをどうやって証明するというのか。「がある」は述語ではない。この点についてはカントが正しかったのであり、だからこそすでにヒュームの述べていたように、実在というものは論証することも論駁することもできないものだ。「がある」は論証されるというよりも確認されるものだ。それは体験されるものであって、証明されるものではない。

経験によって証明されるというひともいるかもしれない。だが、そうはならない。なぜなら、神についての経験は、反復の可能性も検証の可能性も測定の可能性も欠いており、絶対に伝達不可能なものなのだから……。経験がなにも証明しえないのは、それが虚偽のあるいは幻想上の経験だからだ。幻覚や法悦ということなのだろうか。ドラッグによっても同じような結果が惹きおこされはする。だが、ドラッグがなんの証明になるだろうか。神を見る者は、自分がほんとうに神を見ているのかそれとも幻覚のなかで神を見ているのかをどうやって知るのだろう。神の声を聞く者は、自分がほんとうに神の声を聞いているのか自分が神に語らせているのかをどうやって知るのだろう。神の現前や愛や恩寵を感じる者は、自分がほんとうにそれらを感じているのか幻想のなかで感じているのかをどうやって知るのだろう。ぼくは、ぼくが寝ているときに見る夢の正しさなど確信してはいないが、それ以上に自分の信仰の正しさを確信している信者になど会ったことがない。要するに、確信というものは、それがどこまでいっても純粋に主観的なものであるかぎりは、なんの証明にもならないということだ。そのような確信こそが信仰と呼ばれる。カントのことばを借りれば、「信仰とは主観的にしか十分とは言えないもの」であり、自分にはそれで十分だからといって、理論的にあるいは実践的にそれを他人に強制することは許されない。

言いかえれば、神とは、概念というよりは神秘であり、事実というよりは問いかけであり、経験というよりは賭けであり、思想というよりは希望だ。それは、絶望から逃れるために想定せざるをえないものであり（カントによれば、これこそが実践理性のもろもろの要請のもつ機能にほかならない）、だからこそ、希望は——神そのものを対象としているのだから——信仰と同じように、神学的な徳だ。キルケゴールによれば、「絶望〔という罪〕の対極にあるのが、信仰にほかならない」。神とは、ぼくたちの希望を絶対的に満たすことのできる唯一の存在だ。

こう言ったからといって、これまたなんの証明にもなっていない。このことこそ、本章を終えるに当たって確認しておかなければならないことだ。希望をもちだしてみてもなんの論拠にもならない。なにしろ、ルナンの言ったように、真理が悲しいものであるということだってありうるのだから。だが、希望をもつ余地をすこしも残さないような論証がなんの意味をもつというのだろうか。

ぼくたちはなにを希望するのだろう。雅歌に歌われているように、愛は死よりも強く、憎しみよりも強く、暴力よりも強く、どんなものよりも強い。だからこそ、神が真に存在するように思われる。神は万能の愛であり、救いだす愛であり、絶対的に愛を与えてくれるものなのだから、絶対的にぼくたちが愛すべきただひとりの神だ。これこそが、多くの聖人や神秘主義者たちの考える神にほかならない。ベルクソンはこう書いている。「神は愛であり、愛の対象だ。神秘主義のいっさいの貢献はそこにある。この二重の愛について、神秘主義が語ることには終わりがない。その記述が終わりなきものであるのは、記述されるべきことがらが表現しがたいものだからだ。それでも、神秘主義の記述が明断に語っているのは、神聖な愛とは神に属するなにものかではなく、神自身にほかならないということだ」。

そのような神は、真理（認識の対象）というよりも価値（欲望の対象）にほかならないと非難するひともいることだろう。たぶんそれは当たっている。だが、神を信じるというのは、この至高の価値（愛）が至高の真理（神）でもあることを信じるということだ。これは論証されることでも論駁されることでもなく、みずから考え、みずから希望し、みずから信じるよりほかないことだ。神とは規範を生みだす真理のことであり――真と善の結合――、その規範は規範である以上はあらゆる真理にとっての規範だ。望ましいものと可知的なものとは、この至上の水準においては、アリストテレスの述べていたようにひとつのものとなる。そしてこの同一性こそが、神――もし神がいるとしての話だが――にほかならない。神だけがぼくたちを絶対的に満たし慰めることのできるものだという以上に、うまい言いかたがあるだろうか。ハイデガーも認めていたように、「ただ神のようなものだけがわれわれを救いうる」。だからこそ、神を信じるか、救いを断念するかしかないのだ。

そうであるからこそ、締めくくりとして言っておけば、神こそが意味をつくりだすのであり、意味を与えてくれるのだ。その理由は、第一に、神なくしてはあらゆる意味が死の無意味さにつまずいてしまうからであり、第二に、意味が意味をもつのはあくまである主体にとってのみのことであり、してみれば意味が絶対的な意味をもつのは絶対的な主体にとってのみのことだからだ。神とは意味の意味であり、それゆえ不条理や絶望の対極をなす。

神は存在するのだろうか。ぼくたちには、それは知りえない。神とは、存在の問いにたいする答えであり、真理の問いにたいする答えであり、善の問いにたいする答えであることだろう。そしてこの三つの答えは——あるいはこの三つの人格は……——、結局ひとつのものでしかない。

だが、存在は答えない。それが一般に世界と呼ばれるものだ。

だが、真理は答えない。それが一般に思考と呼ばれるものだ。

善はどうだろうか。善も答えない。それこそが一般に希望と呼ばれるものだ。

第八章　無神論

「信仰は救いをもたらす。だからこそ信仰はうそつきなのだ」——ニーチェ

無神論と不可知論

無神論は、特殊哲学的なテーマだ。それは信仰ではあるが、否定的な信仰だ。思考ではあるが、その対象が空虚であるということだけによって、おのれを養っている。そのことは、語源学的にも十分に示されている。athéisme《アテイスム》（無神論）という語において、広大なtheos《テオス》（神）のまえに置かれているa《ア》は、否定を意味している……。無神論であるとは、神なしにあるということだ。その理由は、神などまったく信じないことに満足しているからなのかもしれないし、万物の非存在を肯定しているからなのかもしれない。こうして、ぼくたちの生きている一神教の世界においては、二つの異なった無神論を区別することができる。神など信じないという意味での無神論（消極的無神論）と、神が実在しないことを信じるという意味での無神論（積極的無神論あるいは戦闘的無神論）とだ。言いかえれば、信仰の不在か不在への信仰か、あるいは神の不在か神の否定かということになる。

とはいえ、この二つの無神論のちがいを強調しすぎるのも問題だ。両者は二本の大河

というよりは二筋の流れであり、二つの極ではあるが、同じ土俵のうえの二極なのだ。通常あらゆる無信仰者は、この二つのあいだに身をおいており、あいだでためらっており、あいだを揺れうごいている……。だからといって、無神論であることには変わりない。神を信じるひともいれば信じないひともいる。この二者択一のうちの後者を選ぶひとが無神論者だ。

では、不可知論《ふかちろん》（agnosticisme《アグノスティシスム》）者はどう位置づけられるのだろうか。不可知論者とは、この選択を拒否するひとのことだ。その点で不可知論者は、ぼくが消極的無神論と呼んだもののほうに近いところにいるが、神の可能性にたいしてはより開かれたところにおり、その点に固有の特徴をもっている。不可知論とはいわば形而上学的中道主義であり、あるいは宗教的懐疑主義だ。不可知論者はいかなる立場にも立たない。彼は決着をつけない。彼は信仰者でも無信仰者でもない。彼は問題を宙吊りにしておくのだが、そうするのにはもっともな理由がある。神がいるのかどうかぼくたちにはわからない（もしそれがわかるのなら、もはやこうした問いが立てられることさえない）というのに、どうして神の存在について意見を表明しなければならないというのか。自分の知らないことがらについて、どうすれば肯定したり否定したりすることができるというのか。ここでも語源論が光を投げかけてくれる。ギリシア語でagnostos《アグノストス》とは、未知ないし知りえないことを意味する。不可知論者とは、宗教にかんしては、神がいるのかどうかを知らない者、この知らないという状態にとどまる者を意味する。そのことで彼を非難できようか。謙虚さは彼のがわにある。明晰さも彼のがわにある。たとえば、プロタゴラスのつぎの美しい定式がそれを示している。「神がみについては、いるともいないとも私には言えない。それを知るのを妨げることがらがありすぎるのだ。第一に、問題があいまいだし、つぎに、人生が短すぎる」。これは当然ながら、尊敬に値する態度であり、良識にかなっているようにさえ思われる。この態度は、信仰者と無神論者の双方に、両者がいずれもゆきすぎであることを気づかせてくれる。両者は、おのれの知っている以上のことを語っている。

だが、この点にこそ不可知論の強みがあると同時に、その弱さもあらわれている。不可知論者であるということが、神がいるのかどうかはわからないというだけのことであるなら、ぼくたちは全員不可知論者ということになるだろう——なにしろこの問いにたいしては、ぼくたちのうちのだれもが手もちの知を欠いているのだから。この意味で不可知論とは、ひとつの哲学上の立場というよりは人間的条件をなすひとつの所与だ。もしきみが「私は神が実在しないことを知っている」と語る人間に出くわしたなら、彼は無神論者なのではなく愚か者なのだ。愚か者とは自分の無信仰を知であるかのようにみなす者のことだと言ってやろう。同様に、「私は神が実在することを知っている」と語る人間に出くわしたなら、そいつは信仰をもっている愚か者だ。強調しておくべきだろうが、ぼくたちにはわからないというのが真実なのだ。信仰にも無信仰にも証拠となるものはない。そのことこそが両者の定義なのだ。知っているときにはもはや信じる余地はないし、信じない余地もない。だからこそ、不可知論者は、論理学者たちの言いかたを借りるなら、外延において獲得するものを内包において失うのだ。だれもが不可知論者だとしたら、不可知論者であると言いたてることになんの意味があるだろうか。

　不可知論が哲学的に意味をもつようになるのは、自分が知らないということをたんに肯定するにとどまらず、さらにさきまで進んで、この肯定だけで十分だと、もしくはこの肯定がそのほかのどんな態度よりもましなものだと肯定するばあいだけのことだ。これは選択しないことを選択するという態度だ。ここに、不可知論との対比というかたちで、無神論とはなんであるかが十分に語られている。選択には、否定的な選択（神を信じない）と肯定的な選択（神が存在しないことを信じる）とがあるが、そこにはつねにある態度決定が、積極的関与《アンガジュマン》が、応答が前提されている、――ところが、ここで不可知論は問いから身をひいて未解決のままにしておく。ここに不可知論の偉大さと限界とがあらわれている。

　不可知論はいかなる立場にも与しない。無神論はそうではなく、神に反対する立場に、というよりも神の実在に反対する立場に与する。

経験的無神論

　なぜだろうか。なんの証拠もない。そのうえ無神論者はしばしば信仰者よりもずっと明晰だ。無神論の歴史のなかには、あの有名ないわゆる「神の存在証明」に匹敵するようなものはない……。非存在をどうやって証明するというのか？　たとえば、サンタクロースが実在しないことをだれが証明できるというのか？　幽霊が実在しないことについてはどうか？　ましてや、神が存在しないことをどうやって証明するというのか？どうしてぼくたちの理性に、この理性を超えるものがなにもないことを論証できるというのか？　どうしてぼくたちの理性に、本質からしてこの理性のおよぶ射程の外にあるものを拒絶できるというのか？　だからといって、こうした不可能性のゆえにぼくたちが愚鈍だということにはならないし、思考を放棄することが許されるわけでもない。神は存在しないという証拠はないが、いくつかの論拠はある。ぼくは、自分が無神論者だからこそ、以下でいくつかの論拠を示したいと思う。

最初のきわめて簡単な論拠は、まったく否定的なものだ。すなわち、無神論を標榜する強力な理由は、なによりもまずその逆を主張するさまざまな論証が無力だからということだ。「証拠」が無力なのはもちろんだが、経験も無力なのだ。もし神が実在したなら、言うまでもなく神はその姿を見られ感じられるにちがいない。なぜ神はこれほどまでに姿を見せないのだろうか。信仰者たちが口をそろえて言うには、それはぼくたちに自由を残しておくためなのだそうだ。もし神がそのまったき威光をもって姿をあらわしたなら、ぼくたちにはもはや神を信じたり信じなかったりする自由さえ残されないだろう……。

この答えはぼくを満足させるものではない。第一に、この考えかたでゆくと、ぼくたちは神よりも自由であり（どうしてこのあわれな神が自分自身の実在を疑うことがありえようか）、あるいは（個人的に神と会ったとみなされている）さまざまな預言者たちよりも自由であることになってしまうが、それは哲学的にも神学的にも考えにくいことだからだ。

第二に、自由というものはいつでも無知よりも知のうちにこそあるものだからだ。子どもたちの自由を尊重するためには、子どもたちの教育を断念しなければならないのだろうか。すべての教育者はその逆に賭けているし、すべての親もそうだ。逆に、若者たちが自由について知るようになればなるほど、それだけ彼らは自由になる。無知からはけっして自由は生まれない。認識することはけっして隷従することではない。

最後に、そしてとりわけ、この論拠は父なる神についてのこんにち支配的なイメージと両立しえないように思われるからだ。ぼくがわが子の自由を尊重するのはあきらかに望ましいことだ。しかし、ぼくを愛するか否か、ぼくにしたがうか否か、ぼくを尊敬するか否かは彼らの自由だとしても、いずれにせよ、すくなくともぼくが実在することを彼らが知っていなければ話ははじまらない。自分の子どもたちの自由を尊重するために、彼らとともに生き、彼らとともにあることを断念し、自分の存在をはっきりと知らしめることさえあきらめなければならないとは、なんと悲しい父親だろう。啓示だって？だが、自分の子どもたちを育てるのに、はるか以前に死んでしまったほかのひとたちに向けられたことば、しかもあいまいで疑わしいテクストを介してしか子どもたちに伝えられないことばによるしかないとは、なんと悲しい父親だろう。自分の子どもたちにじかに語りかけたり、自分の意に反して彼らを抱きしめたりするのではなく、自分の子どもたちに、選ばれたいくつかのテクストを、あるいは自分の弟子たちの書いたテクスト（どんなテクストだろうか？　聖書か？　コーランか？　ウパニシャドか？）を読ませる父親なんているだろうか。いるとしたら、なんと滑稽な父であり、滑稽な神であることだろう。そして、自分の子どもたちが苦しんでいるときにも姿を隠しつづける父よりも残酷な父がいるだろうか。アウシュヴィッツにたいしても、ルワンダにたいしても、姿を隠しつづけ、自分の子どもたちが痛がっていたり怖がっていたりするときにも姿を隠しつづける父とはどんな父なのだろう。パスカルやイザヤのいう隠れた神とは悪い父親にちがいない。どうすればそんな父を愛し信じることができるというのか。無神論が提起するのは、それに比べればずっとありそうな仮定だ。すなわち、神の姿が見えず、ぼくたちには神が姿を隠していることとさえ理解できないのだとしたら、たぶんそれは神が存在しないというだけのことなのだろう……。

理論的無神論

二つ目の論拠も否定的なものだが、こう言ってよければ実感的というよりは理論的なものだ。思考にとって、神の主たる力は、世界や人生や思考そのものを解明する点にある……。だが、もし神が存在するとしても、定義上神が解明しえないものであるなら、こうした解明になんの意味があるというのか。宗教が可能な信仰であることを否定するつもりはない。宗教が尊重に値するものであるのも言うまでもないことだ。ぼくが問題にしたいのは、宗教の思想的内容だ。宗教とは、ぼくたちが理解していないことがら（宇宙や人生や思考の存在……）をこれまたぼくたちが理解していないことがら（神）を用いて説明するひとつの学説にほかならないのではないか？　そして理性的な見地から見たばあい、そのような説明が価値をもちうるだろうか？　これはスピノザのことばを借りれば「無知の避難所」だが、ぼくが懸念するのは、同じことがスピノザにおける神にも当てはまるのではないかということだ。「神とは無限の属性によって構成されるひとつの実体であり、この属性のおのおのが永遠で無限のひとつの本質を表現しているのだが、そのような神は必然的に存在する」。『エチカ』にはこう書いてある。だが、そのような神や無限の諸属性のこうした無限性についてぼくたちはなにを知っているだろうか。ぼくたちに似ているもの、あるいはぼくたちを貫いているもの（空間的広がり、思考）を別にすれば――それらは神を構成するものではない――、なにも知りはしない。だが、そうだとすると、なぜ神を信じるのだろうか。この点にかんしてはフロイトに分がある。「無知は無知だ。そこからは、なにかを信じるいかなる権利も生じえない」。というよりも、信じる権利はあるが、それは認識の代わりにはならない。ピュロニズム〔82ページ参照〕に栄光あれ。無知であることはどんな信仰をも正当化しはしないし、神が問題となるばあいに理性が無知を取りのぞいてくれることもありえない。

だが、そうなると神によってなにかを解明すること（そればかりか、あらゆることを解明すると言いはること）は、まったくなにも解明していないということであり、ある無知を別の無知で置きかえるだけのことだ。そんなことをしてなんの役にたつというのか。

　ある友人が言うには、「ぼくは無神論者ではない。ぼくは神秘的なものの存在していることを信じている……」。それがどうしたというんだ。無神論者であるためには、神秘的なものなど認めないというのでなければならないのだろうか。すべてを知り、すべてを理解し、すべてを説明できると言いはらなければならないのだろうか。それはもはや無神論ではなく科学万能主義であろうし、それも盲目的にそうなっている、愚鈍でさえあることだろう。宇宙におけるあらゆるものごとを解明できたとしても――じっさいには、ぼくたちはそこからはほど遠いところにいるわけだが――、宇宙そのものを解明することが残っており、そんなことはできっこない。さらには、判断すること、行為すること、愛すること、生きることが残っているわけで、どんな科学もこれを満たしてはくれない。無神論者であるからといって、知性をそなえた明晰な者であることを放棄してよいわけではない。この点で、無神論と科学万能主義とは区別される。科学万能主義とはいわば偏狭な無神論であり、科学教だ。そこには無神論の核心も、唯物論の核心も、合理主義の核心もない。科学万能主義は無神論や唯物論や合理主義を独断的かつ宗教的に化石化したものであり、無信仰者たちの宗教だと言ってよいだろう。このような自由思想は、ほとんどのばあい、自由な思考の対極にある。

科学によってすべてが解明されるわけではなく、理性によってすべてが解明されるわけでもないことは言うまでもない。未知のものや理解不可能なもの、神秘はいつだってある。科学者たちがあきらかにまちがっているのは、そうしたものの存在を頭から否定するところだ。でも、信仰者たちがこの神秘をわがものにし、自分のためにとっておこうとし、それを自分の専門にしようとするのは、どんな権利にもとづいてのことなのだろうか。神秘があるからといって、宗教が正当化されるわけではないし、理性の誤りが証明されるわけでもない。これによってその誤りが証明されるのは、宗教的なものであれ合理主義的なものであれ、あらゆる種類の独断主義だ。だからこそ、とりわけみずからの教義だけによってなりたっている宗教の誤りが証明されるのだ。科学者は科学を崇拝する必要など感じない。だが、自分の信じる神を崇拝しない信仰者がいるだろうか。

無神論であるとは神秘を拒否することではなく、信仰や服従の行為でもって神秘を厄介払いしたり、あまりに安上がりに神秘を切りちぢめたりするのを拒否することだ。無神論とはすべてを説明することではなく、説明しえないもののあると認めることによって、すべてを説明するのを拒否することだ。

逆に、神を信じるとは、世界に神秘を付けたすことではなく、この神秘にある名前（発音しえないにしても）を与えて、まったく平然とした態度で、ささやかにではあれ、この神秘を権力や家族の、契約や愛の物語に連れもどすことだ……。全能の神、創造の神、裁く神、慈悲深い神――「天にましますわれらが父よ……」。これによってすべてが説明されるのだが、それ自身は説明されないなにかによってこの説明はなされる。したがって、これはなにも説明していないことになる。これは神秘を別の場所に――ほとんどのばあい、擬人主義のがわに――移すだけのことだ。「はじめに神は天と地を創造し、ついで人間をご自身の姿に似せて創られた……。」これはぼくたちをふくめて宇宙を、ぼくたちに似たなにかでもって、あるいはぼくたちがそれと似ているだれかでもって、説明することだ。ヴォルテールによれば、「神がわれわれをみずからの姿に似せて創ったというなら、われわれは自分の姿に似せて神を創ったということになる」。心理学的に見て、これ以上に理解しやすいことがあるだろうか。哲学的に見てこれ以上に疑わしいことがあるだろうか。宇宙は聖書よりもコーランよりも神秘に満ちている。これらの書物にしても、宇宙のなかにあるものだというのに、どうしてそれらによって宇宙が説明できるというのか。

どれほどちっぽけな花でも、はかりしれない神秘に満ちている。それなのにどうしてひとは、この神秘が信仰のうちで解決可能となることを望むのだろうか。

本質的なことはぼくたちにはわからない。それなのにどうしてひとは、このわからないものが神であることを望むのだろうか。

悪の存在

残りの三つの論拠は、どちらかといえば肯定的なものだ。第一の論拠は、もっとも瑣末なものであると同時にもっとも強力だ。それは悪にもとづく論拠だ。すなわち、世界にはあまりに多くの恐怖、あまりに多くの苦しみ、あまりに多くの不正が満ちあふれていて、とてもこの世界が全能で絶対に善なる神によって創造されたとは信じられない。

このアポリアは、ルクレティウスとラクタンティウス以来よく知られている。すなわち、一方で神は、悪を排除することを望んでいるのだがそれがなしえないでいる。だが、そうなると神は全能ではないことになる。他方で神は、悪を排除する力をもってはいるのだが、そうすることを望まないでいる。だが、そうだとすると、神は絶対的に善ではないことになる……。しかるに、神が全能で絶対に善なる者でないとしたら（それどころか、神がこのいずれでもないとしたら、つまり神が悪を排除することを望みもしなければ、できもしないとしたら）、それでもそれは神なのだろうか？　これはあらゆる弁神論〔神の正しさを論証し、神を弁護する議論〕にとって避けえない問題であり、それをライプニッツはこう定式化している。「もし神が実在するなら、悪はどこに起源をもつのか？　もし神が実在しないなら、善はどこに起源をもつのか？」だが、信仰にとっては、善の存在が無神論にたいする反論である以上に、悪の存在はもっとはるかに強力な反論だ。つまり、悪は善よりもずっと打ちけしがたく、尽きることがなく、始末におえないものだ。子どもが笑うじゃないかって？　それを解明するのにぼくたちは神など必要としない。だが、子どもが死ぬときや子どもが恐ろしい苦しみを味わっているときはどうだろうか。そんな目にあっている子どもやその母をまえにして、だれがあえて神の偉大さと神の創造行為のすばらしさをほめたたえるというのか。しかるに、いまこの瞬間にも、世界中でどれほどの子どもたちが恐ろしい苦しみを味わっていることだろう。

信仰者たちは、そうした恐怖の責任はほとんどが人間にあるのだと言いかえす……。それはそうだ。だが、人間がすべての恐怖の原因ではないし、人間は自分の存在の原因ではない。自由をもちだせばすべてが解明されるわけでも、罪を言いつのればすべてが解明されるわけでもない。ディドロのつぎのような強力な警句をよく考えたほうがよい。「キリスト教徒たちの神とは、自分のりんごのことは大切にしても、自分の子どものことはそれほど大切にしない父だ」。これは、ユダヤ教の神にもイスラム教の神にも当てはまる。愛と慈悲に富んでいるとされる神にも当てはまる――だが、そうでなければそれは神だろうか。繰りかえしておけば、どんな父親にたいしても寛容になれないことをなぜ神にかんしては受けいれるのか。以前にぼくは、パリのある大病院の小児科で何時間もすごしたことがあった。そのときにぼくは、人間についてたいそう高尚な観念をいだき、神にかんしては、神がいるとしてだが、なんとも低級な観念をいだいたものだった。マルセル・コンシュが正当にも「子どもたちの味わう苦しみは絶対的な悪だ」と書いているが、これだけであらゆる弁神論を不可能にするには十分だろう。どんな罪をもちだしても解明することも弁明することもできない災厄がどれほどあることだろう。最初の罪のまえにどれほどの苦しみがあったことだろう。人類が存在する以前にさえ、どれほどの恐怖があったことだろう。ガゼルがトラに食べられるに任せ、子どもたちが悪性腫瘍にかかるに任せる神とはどんな神なのだろう。

人間の悲惨さ

第二の論拠はもっと主観的なものであり、ぼくもそうしたものとして提示してみたい。ぼくは一般的には人類について、特殊的には自分自身について、神がぼくたちを創造しえたと想像できるほどに高尚な観念はもちあわせてはいない。これだけでも、かくもささやかな結果にとっては十分に大きな理由となろう。パスカルも言っていたように、周りを見わたしてみれば、いかに凡庸さや低劣さ、悲惨さに満ちていることか、そしていかに高潔さが欠けていることか。

こうした領域にかんしてあまり誇張するのは得策ではないだろう。人間蔑視はどれも不当だ。それは、英雄などひとりもいないかのように、勇敢な人間がひとりもいないかのようにふるまうことであり、そうすることで、愚かにも、悪人や卑怯者たちを正当化している。だが、結局のところ英雄たちにだってそれなりの小ささはあり、勇敢な人間たちにもそれなりの弱さはある。だからこそ彼らは人間なのだ。神をもちださなくとも、どちらの人間も実在するし、いると考えることができる。勇気があれば十分だし、優しさがあれば十分だ。つまり、人間性があれば十分なのだ。逆に、どんな神をもちだせば、無数に存在する憎しみや暴力、卑劣さや愚かさが正当化されるというのか。怪物や卑劣漢は脇に置いておこう。ベルクソンが見てとっていたように、すこしでも自分を認識してみれば、人間を賞賛するよりは人間を哀れみ軽蔑したくなることだろう。人間はあまりに利己的で、中身がなく、どうしようもない。勇気にも寛容さにもはなはだしく欠ける。自己愛にあふれていて、他人への愛はあまりに欠けている。人類はこれほどまでに笑うべき創造をおこなっている。神がそんなものを望んだなんてことがありうるだろうか。

どんな宗教のうちにも自己愛《ナルシシズム》がひそんでいる（もし神がぼくを創造したというなら、そのことだけでもぼくは苦しむに値する）。それが無神論者である大きな理由だ。神を信じるのは傲慢の罪であることだろう。

逆に、無神論こそが謙虚さのひとつのありかただ。それは、ぼくたちがじっさいそうであるように、自分をひとつの動物とみなすことであり、ぼくたちに人間になるという重荷を背負わせることだ。この重荷をぼくたちに負わせたものこそが神であり、それはぼくたちがぼくたちなりに神の創造行為を引きついでゆけるようにするためなのだ、と言うひとがいるかもしれない……。それはそうかもしれない。だが、この重荷はあまりに重く、能力にはあまりにかぎりがあって、とてもそんな答えではぼくは満足できない。ぼくから見れば、自然のほうが、ぼくたちのようなちっぽけな存在にとっては、ずっと説得的な原因であるように思われる。

宗教の幻想

第三の肯定的な論拠はもっと驚かせるものかもしれない。ぼくが神を信じないとしたら、それはまた、そしてとりわけ、神が実在することをぼくが望んでいるからだ。これはパスカルの賭けだと言ってもいいが、ただし逆むきの賭けだ。大事なのは、自分に都合のよいように考えるのではなく――思考は商売でも宝くじでもないのだから――、もっともほんとうらしく思えるように考えることだ。さて、ぼくの考えでは、神はそれが望まれるものであればあるほど、ほんとうらしさを失ってゆく。神はぼくたちのどれほど強い欲望にさえ応じてくれるので、ほんとうはぼくたちが自分たちの欲望にあわせて神を発明したのではないかと自問する余地が出てきてしまうほどだ。

　ぼくたちは万物のうえにさらになにを望むのだろう。死ななくなることとか、以前に失ってしまった親しいひとたちと再会することとか、愛されることとか……。そしてぼくたちは、なにを宗教と、たとえばキリスト教とみなすのだろう。ぼくたちが死ななくなることをだろうか、それともじっさいに死んでも復活することをだろうか。その結果として、以前に失ってしまった親しいひとたちと再会することをだろうか。そして最後に、自分たちがいますぐにでも無限の愛によって愛されることをだろうか……。そのうえなにを求めるというのか。もちろんそれ以上なにもない。そしてそうだからこそ、宗教がほんとうのものではないように思えてくるのだ。どんな奇跡が起これば、そんなふうになるはずのない現実が、ぼくたちの欲望にこれほど応えてくれるようになるというのか。こう言ったからといって、神が存在しないことが証明されるわけではない。なにしろ神とはその定義からして、どんな奇跡をも起こりうるものにしてくれるはずの存在なのだから。でも、これでは、神はほんとうに存在するにはあまりに立派すぎるのではないか、そのような神を信じるのは自分たちの望むことを現実ととりちがえているのではないか、要するに宗教とは、フロイトがこの語に与えた意味での幻想にすぎないのではないか——だからといって、誤りだとは言わない（繰りかえしになるが、神が実在することもありうるのだから）にしても、「人間の欲望から生まれた信念」ではある——と自問してみるきっかけにはなるだろう。こう考えてみることは、神を拒絶することではなく、神を弱いものにすることだ。フロイトによれば、「世界を創造した神と善意に満ちた摂理が、宇宙の道徳的秩序と死後の生があったなら、むろんそれはすばらしいことだろう。だが、なんとも興味深いことには、これらすべてはわれわれが自分自身にたいして望んでやまないものとまさにぴったり合致している」。神を信じることは、サンタクロースを信じる、ただし無数の、というよりは無限の力を信じるということなのだ。それは代わりの父をみずからに与えることだ。それによってぼくたちの別の父があるいは父の喪失が慰められるのだし、そのような父は真の法にして真の愛であり、さらには真の力であることだろうし、最後にぼくたちがあるがままの自分自身を愛し、みずからを満たし、みずからを救いだすことを許してくれもすることだろう……。ひとがそうしたものを望むことがあるということは、ぼくにも痛いほどわかる。でも、なぜそれを信じなければならないのだろうか。ニーチェのことばを借りれば、「信仰は救いをもたらす。だからこそ信仰はうそつきなのだ」。言いかえれば、信仰はぼくたちにとってあまりに都合がよすぎて、なにも疑う余地を残さないのだ。

ぼくがきみに、「パリのリュクサンブール宮の裏手に、公園が見わたせる六部屋からなるアパートを買うつもりなんだ……。それに五十フラン以上はらうつもりはない。でも、ぼくは手にいれられると確信している。そう信じているんだ」と語ると想像してみてほしい。きみは心のなかでつぶやくだろう。「こいつは幻想にとりつかれている。自分の欲望と現実がごっちゃになっている」と。むろんきみが正しい（結局のところ、なにをもちだしてみてもなんの証明にもならない。ぼくが頭のおかしい売り手に欺かれているわけではないことがだれにわかるというのか）。そしてだれかがきみに、神は存在するとかぼくたちは死んでも復活するなどと語るとしたら、それがリュクサンブール宮の裏手の五十フランもしない六部屋のアパート以上に信じられないものであることは、きみにもわかるだろう。だとすれば、つまりきみは、神についてきわめてささやかな観念をもっており、あるいは不動産業についてごたいそうな観念をもっているということだ。

逆に言えば、無神論の立場は、ほとんどのばあい自分のほうがまちがっていることを望むものであるだけに、ますます強力になる。だからといって、無神論が正しいという証明になるわけではないが、そのほかの多くの考えかたと同様、自分を慰めたり安心させたりするためにしか思考していないのではないかという疑いからは、無神論は解放されているということなのだ。

ここで話を止めておこう。ぼくが望んだのはいくつかの可能な論拠を示唆することだけだ。それらのもつ力と限界については、読者のおのおのが評価して欲しい。神が存在するというのはひとつの可能性であって、これを理性的に排除することはできない。そうだからこそ、無神論はいまあるようなものになったのだ。繰りかえしておけば、これは知ではなく信仰であり、確信ではなく賭けだ。

また、そうだからこそ、ぼくたちのだれもが寛容を要求されるのだ。無神論者と信仰者とは、それぞれがなにを知らないかという点でだけ袂を分かつ。どうしてそのことが、彼らの知っていることがら――つまり、人生や、愛や、苦しみに満ちていると同時にたしかなものでもある人間性や、悲惨なものであるにもかかわらず苦しみばかりでなく勇敢さにも満ちてもいる人間性についてのある種の経験――以上に重視されるのか。こういった経験こそが、信頼できるものとぼくが呼ぶものであり、それこそが、彼らのたがいの信仰と無信仰とが別のかたちで対立させかねないものをまとめあげるはずのものだ。自分の知らないものごとが原因で殺しあうのはばかげている。自分たちが知っているあるいはあらためて知ることになるもの——たとえば、人間や文明についてのある種の観念や、世界と神秘とに住まうある種のやりかた（なぜなにも存在しないのではなくなにかが存在するのか？）や、愛と共感とについてのある種の経験や、精神のある種の要請など……——のために、一緒に争いあうほうがずっとましだ。これこそが、人間性と呼ぶことのできるものであり、それは宗教ではなく道徳だ。それは人間への信頼であり、人間の人間性への信頼にほかならない。

どんな神にもこの代わりは務まらないが、これは神を抹消することでもない。だが、どんな宗教もどんな無神論も、このような信頼を欠けば、人間として受けいれがたいものとならざるをえないだろう。

第九章　芸術

「われわれが芸術のうちに求めるものは、思想のうちに求めるものと同じく、真理だ」――ヘーゲル

芸術は人間のいとなみだ。鳥の巣もその歌声も芸術作品ではないし、ミツバチの巣やダンスも、もちろんちがう。これは美しいかどうかの問題ではない。自然にあふれているさまざまな産物よりも自分の作品のほうが美しいなどと言いきれる具象画家がいるだろうか。自然の産物こそ、彼が模倣する対象でありながら、匹敵しえないでいる当のものだというのに。天空や海原よりもみごとにやってのける抽象画家がいるだろうか。生命や風よりも巧みにやってのける彫刻家がいるだろうか。そして、残念なことには、どこからともなくやってきた最初の小夜《さよな》鳴き鳥ほどにも、ぼくたちを楽しませてくれない音楽家がどれほどいることだろう。

美と自然

美は、芸術がもちうるさまざまな目的のひとつではある。だが、美だけでは芸術を定義するのに十分ではない。自然も芸術に劣らず、あるいは芸術よりもはるかに美しい。

もし人間だけが芸術家になりうるとしても、それはまず、職人という意味ででも（サルだって道具をつくることはできる）、審美家という意味ででも（尾羽根を広げたオスの孔雀のまえで、メスがある種の審美的喜びを感じていないとだれにわかろうか）、これら二つの統合——それにうまくかなう例がないが——という意味ででもない。芸術作品は、ある活動から生みだされた美しい産物ということに尽きるものではないし、あらゆる美しいものが芸術作品だとはかぎらない。芸術作品が生まれるためにはさらに別ののが必要なのだが、それは、人間の手がくわわらなければ自然のうちにはふくまれていないものであり、おそらくどんな動物でさえ気づきえないようなものだ。それはなんだろうか？　世界やおのれ自身についてみずからに問いかけるものとしての、真理や意味を求めるものとしての、問いかけ解釈するものとしての、精神であるかぎりでの人間性そのものであり、言いかえれば、自然が人間に見せる姿を表象しようとしても、自然のうちにおのれを投影するかぎりでしか、ヘーゲルの言いかたを借りれば、自然のうちに自分を「見いだ」そうと努める——自然そのものは問いかけることも答えることもしない以上、そのためにはこちらのほうから自然を変形し再創造してゆくことがつねに前提されるのだが——かぎりでしか、表象することのできないものである人間性にほかならない。こうしたこと自体は、芸術がなくともなされうる。だが、芸術はこうした作業をより頻繁に、そしていっそう巧みになしとげる。なぜなら、芸術においてこそ精神は、有用性や効力や実効性といったいつもの目標に気をとられないでいられるからだ。言いかえれば、芸術家は世界を模倣することしかめざしていないばあいでさえも、その模倣をおこないつつあるおのれ自身以外のモデルをもつことはない――なにしろ、世界が自分で自分を模倣することなどけっしてありえないのだから。眼を向けるだけで十分なら、絵画はもっと容易なものであることだろう。だが、そうなると絵画は芸術になるのだろうか？　また、音楽においては、生まれつつある作品以外に、芸術家が思いつくなんらかのひらめき――ただし、概念もことばも欠いた状態で――以外にモデルがあるだろうか。レンブラントやモーツァルトを思いうかべてもらいたい。その美も、その真理も、この世のものとは思われない。あるいはそれらがこの世のものであるのは、それらがまずもってレンブラントあるいはモーツァルトのものだからだ。ヘーゲルによれば、「自然の事物はただあるだけだ。それらは単純で一度きりのものだ。だが、人間は意識をもっている以上、おのれを二重化する。人間は一度きりのものだが、自分にたいして存在している」。だからこそ人間は、「あるがままの自分を外在化するために」、そしてそこにいわば「おのれ自身の反映像を」認めるために、芸術を必要とする。人間を欠いた世界がそれで満ちたりていると思うひとは、このさきを読む必要はない。

　芸術において人間は、見つめるおのれ自身を見つめ、問いかけるおのれ自身に問いかけ、認識するおのれ自身を認識する。この再帰性、ただし受肉した感覚的なものとしての再帰性こそが、芸術にほかならない。アランのことばを借りれば、「あらゆる芸術は、人間が自分自身にかんするなにごとかを、ただし自分ではわかっていなかったなにごとかを認識し、再認する鏡のようなものだ」。まさにそうだ。だがそれは、けっして人間が芸術のうちに見いだすのが自分だけだという意味ではない。むしろ人間は、なにかに眼を向ければ、完全にその対象に没入してしまうのでもないかぎり、ただちにその視線のうちでおのれを再認せざるをえない。世界とは、人間がおのれの姿を探しもとめる真の鏡だ。芸術とは、人間がおのれの姿を見つけだす反映像だ。

では、自然を模倣しなければならないということなのだろうか。それは数ある可能性のうちのひとつにすぎない。ミメーシス（模倣）にかかわるギリシア由来の古い問題系は、いまなお啓発的ではあるにしても、部分的であると同時に問題を単純化してしまう。それはあらゆる種類の芸術に当てはまるわけでも、芸術のすべてに当てはまるわけでもない。音楽や建築のばあいには、模倣はあまり機能しない。現代絵画や現代彫刻の大部分は、模倣をまぬがれている。そして、画家や小説家あるいは映画監督が現実を模倣しても、ぼくたちにはなんら新しいものも快適なものも力強いものももたらされないし、なんの関心も生まれない。カントが言っていたが、芸術作品とは美しい事物を表象したものではなく、「事物を美しく表象したもの」だ。ファン・ゴッホの『古い靴』やシャルダンの『赤鱏《あかえい》』、あるいはゴヤの『黒い絵』を見てほしい……。大切なのは美を模倣することではない。そんな必要さえない。美があるときにはあるがままの美を賞賛し、欠けているときには創造し、あるいは気づかれないでいるときにはあかるみにもたらすことだ。これは、こんにちでは写真がぼくたちに思いおこさせてくれることだ。どんな小さな写真でも、ある意味で模倣だ。だが、無数にある写真のなかで、いったいどれほどの数の写真が芸術なのだろうか？　それ自体で価値をもつ写真はどれくらいあるだろうか？　多くのばあい模倣は芸術の手段であり、芸術の求めるものでさえある。だが、模倣はあくまで手段であって、芸術の目標ではない。求めるものではあっても、いくつもあるなかのひとつでしかないし、多くのばあい模倣は芸術に活気を与える役にたつものではあるが、必ずしも必要だというわけではないし、けっしてそれだけで十分なものでさえない。美を模倣するだって？　それは絵葉書レベルの美にすぎない。芸術家は創造するのであって、模倣するのではない。

芸術における天才

カントはぼくたちを神秘のすぐ間際までいざなう。彼の言うところでは、「芸術とは、天才の技だ」。だが、天才とはなにか？　「芸術におのれの規則を与える能力ないし自然の才能だ」というのが彼の答えだ。この創造の能力が、カントの考えたように生得的なものなのか、それとも後天的に獲得されたものなのかはどうでもよい、──おそらくどちらでもあるというのがほんとうのところだろう。肝心なのは、天才が芸術に規則を与えるのは、あくまで「それまでひとがはっきりした規則を与えられずにいたもの」を生みだすことによってのみだという点であり、その意味でカントは正しい。天才は、使用説明書の対極にありながら、その代わりをなしうる者であり、いかなる規則にも還元不可能でありながら（この点で、芸術と技巧とが、さらには天才と熟練とが区別される）、それでいて多くの芸術家にもその後継者たちにも、規則を――その規則はつねに潜在的で神秘的なものでありつづけるにせよ――与える者だ。芸術において天才とは、みずからは学ぶことなく教える者であり、みずからは真似せず真似られる者だ。だからこそ、マルローの述べたように、「描く術《すべ》は美術館において学ばれる」。だから、すぐれた先人たちを賞賛し模倣するなかで、そうした人びとのひとりになるチャンスも生まれる。

ここから、独創的な存在であると同時に範例的な存在でもあるという天才の逆説が生まれる。独創的だというのは、その才能をなんらかの規則や模倣や知識に還元することができないからであり、範例的だというのは、独創的なだけでは十分ではなく（カントも言っていたように、「不条理なものでも独創的ではありうる」。このことばは、今世紀の芸術作品のある部分を予告している）、天才とはそのうえ、モデルや準拠枠としても役だつものでなければならない――そのためには、これもカントのことばを借りれば、天才的な作品は、「それ自身は模倣によって生みだされたものではないにもかかわらず、他人から模倣され、判断の尺度や基準として役だちうるのでなければならない」――からだ。なににかんしてもそうだが、芸術においても、やるだけならなんでもできる。しかし、この〈なんでも〉ということは、芸術にかぎられない。凡庸な芸術家は山ほどいるが、重要なのは彼らではない。天才だけが規則を生みだす。芸術がほんとうの姿を見せるのは、例外的なものにおいてのみのことであり、それら例外的なものこそが芸術の唯一の規則となる。

偉大な芸術家とは、孤独を普遍に、主観性を客観性に、自発性を訓練に溶けこませる者のことであり、おそらくそこにこそ、技術からも科学からも区別される芸術の真の奇跡がある。弓を使用してきたあらゆる文明で、矢はその長さの三分の二のところで釣りあいを保つようになる傾向がある。こうした収斂は、たしかに興味深いとはいえ、人間性についてはなにも――人間に知能のあることは別にして――語ってはくれないし、個々の人間についてもなにも教えてくれない。それは世界とその規則に応じただけのものであるから、発明ではあっても創造ではなく、だれが発明したかも問題とはならない。おそらくリュミエール兄弟がいなくとも、いずれ映画は発明されただろう。だが、ゴダールがいなければ、『勝手にしやがれ』も『きちがいピエロ』もけっして残されることはなかった。グーテンベルクがいなくとも、遅かれ早かれ印刷術は発明されただろう。だが、ヴィヨンがいなければ、『首吊り人のバラード』の一行さえも残されることはなかっただろう。発明者たちは時間を節約させてくれる。芸術家たちは時間を浪費させると同時に時間を救ってもくれる。

同じことは諸科学にも当てはまる。ニュートンやアインシュタインが生まれてすぐ死んでしまったと想像してみよう。おそらく科学の歴史は変わっていただろうが、それはその内容ではなくその進展のリズムにかんしてであり、その方向ではなくその些細な部分にかんしてであろう。彼らがいなかったとしても、万有引力の法則も質量とエネルギーの等価性の法則も無くなりはしなかっただろう。別のだれかがそのうちそれらを発見しただろう。この意味でそれらの発明は発見であって、創造ではない。だが、もしシェークスピアがいなかったら、ミケランジェロやセザンヌがいなかったら、彼らの作品のどれひとつとして残されはしなかっただろうし、その穴が埋められることもなかっただろう。これによって変わるのは、たんに芸術の歴史の進展のリズムや、登場人物、些細な脇道などではなく、まさに芸術のもっとも本質的な内容であり、ある部分では芸術の進む方向そのものだろう。バッハとハイドンとベートーヴェンを音楽の歴史から排除してみよう。彼らぬきで音楽がどうなっていたかはだれにもわからないだろう。ハイドンぬきでモーツァルトに、ベートーヴェンぬきでシューベルトになにができただろう？　バッハがいなければ彼ら全員はどうしていただろう？　天才こそが芸術を前進させ、芸術をつくりあげるのであり、彼らはどうやっても置きかえ不可能であると同時に、前もってその存在を予見することさえできない存在だ。

話のついでに、哲学にも同じことが当てはまると付言しておこう。プラトンやデカルトやカントやニーチェがいなければ、哲学の姿は変わっていただろうし、こんにちぼくたちが見知っているものとは本質的に異なったものになっていたことだろう。これだけでも、哲学が科学でないことを証明するには十分だ。だからといって、哲学は芸術なのだろうか？　それは定義の問題だ。幾人かの特異な――ということは、芸術のばあいのように、独創的であると同時に範例的な――天才がいなければ哲学は存在しなかったであろうという、すくなくともこの一点では、哲学は芸術だと言えよう。彼らは、カントのことばを借りれば、一冊の哲学書がぼくたちになにを与えてくれ、また与えてくれるにちがいないのかを判断するための尺度ないし基準として役だつ人びとだ。ある意味では、哲学とは理性の芸術であり、この芸術にとっては、すくなくとも可能的な真理が十分な美となる。

だが、本来の芸術に話を帰そう。伝統的に六種類の芸術が区分されており（表現は多少変わるにせよ、こんにちの言いかたで言えば、絵画と彫刻と建築と音楽と舞踏と文学だ）、さらに「第七の芸術」として映画がつけくわわってからずいぶんになるし、あるいは第八の芸術として漫画がつけくわえられる。これらに共通なものはなんだろう。第一に、さきに言及した主観性、すなわちそれを介して天才たちが普遍的なものに到達する主観性が挙げられる。リュック・フェリーの表現を借りれば、肝心なのは、「われわれの人生の置きかえ不可能なもの」を表現することであり、これらの芸術はどれもそれに貢献している。同時に、これらの芸術は、所有されているかとかどんな有用性にゆきつくかといったこととはまったく関係なく、ぼくたちに快い感情を与えてくれる点でも共通している。フェルメールの作品を楽しむのに、あるいは感動を受けるために、それを所有する必要はない。モーツァルトにたいして、モーツァルトの音楽に耳を傾ける喜び――それが胸を引きさくようなものであれ――以外のものを求める者がいるだろうか？　利害を超越したこの喜びこそ、どうやってもあいまいにならざるをえないことばを使うことになるが、美と呼ぶことのできるものだ。美は芸術だけに固有のものではないが、美を欠いた芸術に価値があるだろうか？

カントによれば、概念がなくとも、利害を超越した、普遍的で必然的な満足を与えてくれる対象と認められるもの（自分たちが事実上美しいと判断するものが、権利上は万人に美しいと思われるにちがいないとぼくたちは感じている）が、さらにはある種の合目的性のかたちをとりながらも、だからといってどんな目標を思いおこさせることもないもの（ぼくたちはある花や作品のなかに合目的性を見てとるが、それらはいかなる外在的な目的をも前提していないだけに、ますます美しく見える）が、美しいものだ。カント主義者でないぼく自身のことを言えば、カントの見解のなかでぼくが賛同するのは、とりわけ喜びがなければ美はないという部分であり、それだけでもぼくにとっては十分な合目的性があることになる。これはプッサンのモットーだ。彼のことばだが、「芸術の目標は、歓喜だ」。これはモリエールのモットーでもある。「ただひとつの規則は、楽しんでもらうことだ」。これこそが掛け値なしの才気《エスプリ》であり、つまりは自分の愛するものを楽しむということだ。

芸術と真理

自分の愛するものを楽しむのか、それとも自分の知っているものを楽しむのか？　いずれでもある。だからこそ、芸術はもっとも貴重なのだ。芸術は、真理の美しさを際だたせてくれるからこそ——そこで採りあげられる対象が不恰好だったり月並みだったりしても——、ぼくたちに真理を愛させることもできる。二つのりんご、一個のたまねぎ、一対の古い靴……。あるいはいくつかの音符やことば……。そして突然に、絶対的なものそのものが、壁に吊られて、あるいは沈黙のうちに宙吊りにされて、その栄光や永遠性、真理のうちで放射しているかのように、いつまでも開示されるがままにそこに存在するものとなる。プルーストのことばを借りれば、「真の人生、やっと発見され解明された人生、したがってほんとうに生きられたただひとつの人生とは、文学にほかならない」。こう言ったからといって、書物のほうが人生よりもましだとか、作家たちのほうがそのほかの人びとよりもよりよく生きているなどと言いたいわけではない。むしろここで言いたいのは、その逆で、あらゆる芸術と同じく文学も、これまたプルーストのことばを借りれば、「あらゆる瞬間に、芸術家のもとにも、あらゆる人びとのもとにも同じように」見いだされるはずなのだが、注意力や資質の足りないためにほとんどのひとがちゃんと見ておらず、特異な存在である芸術家だけがぼくたちにあきらかにしてくれる本物の人生を、ぼくたちが直視しそれに慣れる手助けとなってくれるということだ。美だけでは十分ではないし、真理だけでも十分ではない。そしてもちろんのこと、醜さだけでも十分ではないし、ニーチェには逆らうことになるが、幻想だけでも十分ではない。ぼくたちには美が必要だし、真理も必要だ。でも、それ以上に両者がであい、溶けあってひとつになることが必要なのであり、だからこそぼくたちには芸術家が必要なのだ。むろんそれは真理を美化するためにではなく――そんなことをすれば、わざとらしくなるか、ごてごてになるのが関の山だ――、真理に内在している美しさをあらわにしあるいは暴きだし、それを見て、享受し、楽しみ、要するに愛する術《すべ》をぼくたちに教えるためにだ。肝心なのは、彩りを添えることでも、それらしく見せることでもなく、欺くことなく愛すること――モーツァルトやフェルメールを考えてみてほしい――であり、それこそが本物の芸術だ。

ハイデガーによれば、「芸術から真理が湧きでる。創設しつつ見守るものとして芸術は、作品のうちに存在者の真理を出現させる」。この真理は科学の真理ではない。科学の真理は、つねにもろもろの概念や理論や抽象によってつくられている。それにたいして、芸術の真理はつねに具体的で、実践的で、それなりの流儀で（ことばや音を使っておのれを表現しているときでも）沈黙している。これこそが、ぼくたちに受けいれられるかぎりでの存在の真理であり、ハイデガーのことばを借りれば、「存在者であるかぎりでの存在者の隠されていない状態」であって、いわばぼくたちを包みこむ、あるいはぼくたち自身にほかならない絶対的なものの人間的な、必然的に人間的であらざるをえない姿だ。これは審美家や巨匠にとっては――彼らがそうした者であるだけならば――、残念なことかもしれない。美がすべてではないし、技術がすべてでもない。芸術とは、産出や熟達である以前に、まずもって真理の開示であり、真理の創設であり、真理の実現だ。ところで、言語がなければ、人間にとって真理は存在するだろうか？　言語がなければ、沈黙でさえ存在するだろうか？　ここでぼくたちは詩にであう。詩こそあらゆる種類の芸術の核心であり、頂点にほかならない。その理由は、これもまたハイデガーの言うように、「芸術の本質が詩作で」あり、「詩作の本質が真理の創設」にあるからだ。

美と幸福

もし「人間が詩人として世界に住まう」のなら、これらの創造者（ギリシア語で言えばポイエタイ）のおかげでこそ、ぼくたちは世界を見て、世界を認識し、世界を賛美することを――そして世界に向きあい、世界を変えてゆくことをも――学び、さらには世界が不快であってもそれを享受し、世界が悲しく残酷なものであっても、それを喜び、耐えることを、要するに世界を愛し容認することを教わったのだ。なにしろ、結局は世界にゆきつかなければならないのだし、そのことこそが人間の、また作品のもつただひとつの叡智なのだ。ここで美学と倫理学とが合流する。ウィトゲンシュタインによれば、「じつのところ、美こそが芸術の目的であるという見方のうちには、なにか啓発的なものがふくまれている。美とはまさしく幸福をもたらしてくれるものなのだ」。もちろん、すべての美がそうだというわけではないし、どんな幸福でもよいというわけでもない。真理も重要なものだし、ときとしていっそう重要でさえある。芸術において意味をもつのは、欺くことのない美だけだ。

バッハやベートーヴェンのいない音楽、ミケランジェロやレンブラントのいない造形芸術、シェークスピアやユゴーのいない文学……といった例をさきに挙げた。だが、これらの比較を絶した芸術家たち――彼らは全面的に普遍的であると同時に、まったく特異な存在だ――がいなければ、人間性そのものがいまあるようなものではなくなってしまったであろうことはだれにでもわかる。

彼らがいなければ、人間性がそれほど美しく文化的で幸福ではなくなるからだろうか。けっしてそれだけの話ではないし、それだけの問題でもない。ポイントは、人間性のほうが彼ら以上に真実ではなく、いっそう人間的ではないという点にある。芸術は人間のいとなみのひとつであり、人間は芸術のいとなみのひとつなのだ。

第十章　時間

「現在だけが存在している」――クリュシッポス

時間とはなにか。アウグスティヌスが告白したように、「だれからも尋ねられなければ、私はそれを知っている。だが、だれかに尋ねられて説明しようとすると、なんだかわからなくなってしまう」。時間とは明白であると同時に謎だ。だれもが時間を経験してはいるが、だれにも時間をつかまえることはできない。時間はつねに流れている。ほんのすこしでも時間が停止したら、いっさいが停止してしまい、もはや時間は存在しない。だが、そうなるともはやなにも存在しなくなる。もはや運動もなければ（身を動かすためにも時間を要するのだから）、静止もない（不動のままでいるのにも時間がかかるのだから）。時間がなければ、もはや現在もなく、当然「がある」もなくなる。なにも存在できなくなるのだ。カントが示したように、時間はあらゆる現象のアプリオリな条件だ。ぼくたちにとってあらゆるものの条件だとさえ言ってもいい。

それればかりか、どんな停止も時間を前提する以上、時間が停止することなどありえない。「ああ時間よ、その飛翔を止めたまえ」。アランの注釈によると、これは詩人の願いなのだそうだが、「どれくらいのあいだ時間はその飛翔を止めることになるのかと問うてしまえば、彼は矛盾に陥って身を滅ぼしてしまう」。たしかに、真実はつぎの二つのうちのいずれかだ。すなわち、時間はある時間のあいだだけ停止するのであって、つまり時間はほんとうは停止していないということなのか、あるいは、時間が完全に停止してしまい、〈停止〉や〈終わり〉といった観念そのものがもはや無意味になるかだ。〈以前〉との関係においてしか〈停止〉はありえないし、〈以後〉との関係においてしか〈完全に〉もありえない。しかるに、以前も以後もともに時間を前提している。一時的な停止であれ完全な停止であれ、時間の停止という観念自体、時間のなかでしか考えられない。

だからこそぼくたちにとって時間は、存在の地平であり、あらゆる存在者の地平だ。では、永遠とは？　永遠が時間の対極を意味するなら、それについてはぼくたちにはなにも知りえないし、なにかを考えることも経験することもできない。ディドロが、廃墟のなかを逍遥しながら、こうつぶやいていた。「すべては無に帰ってゆく。すべては滅んでゆく。すべては過ぎさる。残っているのは世界だけだ。つづいてゆくのは時間だけだ」。つまり、時間がなければ、なにかが存在することも、過ぎさることも、つづいてゆくこともありえず、無に帰ってゆくことさえできなくなる。存在するとは、時間のなかにあるということだ。なぜなら、存在するとは継続するか止まるかなのだから。だが、そうなると、存在するという条件のもとでしか過ぎさらず、流れさってゆくという条件のもとでしか存続せず、要するに逃げさってゆくことが経験される——それゆえ、ぼくたちの手をまぬがれてゆく——なかでしかあらわれることのないこの時間とは、いったいなんなのだろう？

時間がなければなにものも存在しえないのだから、まずは時間が存在していなければならない。だが、時間とはなんなのか？

継起としての時間

ぼくたちが時間と呼んでいるのは、第一に、過去と現在と未来との継起だ。だが、過去は存在しない。なにしろそれはもはやないのだから。未来も存在しない。なにしろそれはまだないのだから。現在はと言えば、それは瞬間から瞬間へとおのれを絶えず抹消するかぎりでのみ時間に——永遠にではなく——属するもののように思われる。アウグスティヌスによれば、現在は存在するのを止めるかぎりでしか存在しない。それこそが普通、現在と呼ばれているものだ。未来は過去のうちに消えさり、まだないものがもはやないものに呑みこまれてゆく。この二つのあいだにはなにがあるのか？　一方から他方への移行がある。だが、この移行は捉えがたく、堅固さも持続も欠いている——なぜならあらゆる持続は、思考から見ると、過去と未来といういずれも存在しないものからなっているからだ。現在とは、未来と過去という二つの無のあいだでおこなわれる無化だ。二つの不在のあいだでの逃走と言ってもよいし、二つの夜にはさまれたあかるみと言ってもよい。ここから世界は生まれうるのだろうか？　持続は生まれうるのだろうか？

現在の瞬間を考えてみよう。きみは時間を扱ったこの短い文章を読んでいるところだ……。きみがその前にしていたことは過去に属しており、なにものでもなく、ほとんど無に等しい。もはやないと言ってもよい。それは、現在においてだれかがそれを想起するかぎりでしか存在しない。だが、この想起は過去ではないし、過去ではありえない。それは現在における過去の痕跡ないし召喚にすぎず、いずれにせよ現在の一部だ。もしきみの記憶そのものが過去のものになってしまえば、もはやそれを想起しようとすることさえなくなるだろう。それはもはや想起ではなく忘却だ。過去がぼくたちにとって存在するのは、あくまでいまのことであり、現在においてのことだ。過去は、それが過去ではないかぎりでしか存在しない。ここにこそ、記憶にかかわる逆説がある。

そうなると、だれにも想起されることのない過去とは無であり、端的にないということになるのだろうか？　事態はそれほど単純ではない。なにしろ、結局のところ、もはやないものにしても、それがあったことは真であり、永遠に真であるからだ。アウシュヴィッツで涙を流していた女の子は、寒かったから、飢えを感じたから、怖かったから泣いていたのであり、おそらく数日後には——一九四二年の十二月のことだったとしよう——毒ガスで殺されてしまうこの女の子の名前も顔も、もはやだれも知らない。長い歳月が経ってしまった。彼女を知っていた者もみな死んでしまった。彼女のなきがらさえ無くなってしまった。彼女の流した涙が思いおこされることはあるのだろうか？　もちろんそれは不可能だ。だが、こうしたことが起こったということは依然として真実だし、いま生きているだれもがもうそのことを思いだせないとしても、あるいは明日になればもうだれも思いだせなくなるとしても、いつまでも真実でありつづける。彼女の流した涙の一粒ひとつぶが、スピノザの言ったように、永遠の真理なのであり、このほかに真理はない。これは、過去はやはり存在しているということを意味しているのだろうか？　そうではない。なぜなら、この真理は現在の真理であり、つねに現在に属しているからだ。思考から見れば、永遠とはほかでもなく真実のこの絶えざる現前のことだ。過去が存続しているのではなく、真理が過ぎさらないということなのだ。

いまきみは以上の数行を読んだばかりだ。それは、きみの現在に属するささやかな瞬間にすぎず、きみはすぐにもそれを忘れるだろう。きみがそれを読んだということは真実でありつづけるだろうか？　もちろんだ。だが、きみがそれを忘れてしまうのも真実だ……。それればかりか、きみが一生それを想起しつづけているとしても、この数分間がきみの背後に流れさってしまったことはいかんともしがたい事実だ。明日あるいは十年後にきみがこの箇所を読みなおすことはあるかもしれないが、そのときみが、最初に読んだときの瞬間というもはやないものを、つまり以前の瞬間を再発見することはけっしてない。時間は絶えず連続し、過ぎさり、変化しているのであり、これこそが真の神秘だ。現在はつねに中断し（過去になってゆくが）、それでいて完全に消えさってしまうことはない（なにしろ現在は連続しているのだから）。過去に吸収されることも過去によって消しさられることもありえないというこの神秘こそが時間だ。過去は、もはやないものであるのに、時間となりうるのだろうか？　時間は、ありつづけるものであるのに、過去となりうるのだろうか？

　未来はどうなるのか？　きみにとってもっとも間近でもっともリアルな未来とは、たとえば、以下につづく数行を読むということだろう……。だが、それは確実なことではないし、まだ起こってもいない。友達に邪魔されるかもしれないし、読書に飽きて別のことを考えだすかもしれないし、本を紛失してしまうかもしれないし、ことによったら、突然死んでしまうかもしれない……。未来《アヴニール》が存在しているなら、それは来たるべき《ア・ヴニール》ものではなく、現在に属している。未来は、――ここに期待にかかわる逆説があるのだが――まだないという条件のもとでしか、未来としては存在しない。未来は現実にではなく、可能的なものや潜在的なものや想像的なものに属している。きみはこの章を最後まで読むだろうか？　それを終えたときにしか、その答えはわからない。だが、そのときには、それはもはや未来ではなく過去になっている。その前は？　きみにできるのは、読みつづけるか本を置くかのどちらかだ。それは未来ではなく現在に属している。では、希望はどうか？　期待は？　想像は？　決心は？　これらがそうしたものであるのは、あくまで現在においてのことであり、それらは現在的であるか存在しないかのいずれかだ。明日でもそうだろうか？　来年でも？　十年後でも？　未来が来たるべきものであるのは、あくまでそれが存在していないかぎりでのことであり、未来が可能なのは、それがまだ現実ではないかぎりでのみのことだ。きみがページを飛ばして急いで最後を読み、すべての予定を繰りあげて、列車や飛行機やロケットに乗りこんだとしても、現在からも、現実からも、時間からも脱けだすことにはならない。きみにできるのは待つか行動するかのいずれかであり、どちらをおこなうにしても、それはいまここにおいてでしかありえない。未来は、まだないものであるのに、時間となりうるのだろうか？　時間は、いつでもすでにここにあって、ぼくたちに先行し、ぼくたちにともない、ぼくたちをふくんでいるものなのに、来たるべきものになりうるのだろうか？

時間は過ぎさるが、過去ではない。時間は到来するが、来たるべきものではない。なにも過ぎさらないし、なにも到来しない。なにものも、現在であるかぎりでしか到来しない。

現在の逆説

現在にしても、それが中断されるまさにその瞬間にしか、現在としては生じない。現在を捉えようとすると、それはすでに過去になる。アウグスティヌスが言ったように、現在がいつまでも現在であって、過去にならなければ、「その現在はもはや時間に属しておらず、永遠であることになる」。だがそうなると――と『告白』の著者はつづけるのだが――、「時間に属するためには現在は過去と結びつかなければならないとすると、存在するのを止めるかぎりでしか存在しえないこの現在は、どうすれば説明できるのか？」結論は逆説のかたちをとる。「したがって、時間があると断言することをわれわれに可能にしてくれるものはなにかと言えば、時間とはもはやないものになろうとするものだ、ということだ」。

だが、困難は、ことによると見かけほど並はずれたものではないのかもしれない。というのも、第一に、現在が現在でありつづけるなら、もはやそれは時間には属さず、永遠であることになるというアウグスティヌスの反論は、時間と永遠とが両立しえないものであることを前提にしているが、それは論証されてもいないし、自明なことでもないからだ。

第二に、現在が過去に結びつくことを証明するものはないし、そんな想定が可能であることを証明するものもないからだ。過去はもはや存在していないのに、どこで現在は過去と結びつくことができるのだろうか？　また、なにを結びつけるにせよ、それは現在においてしかできないことなのに、どうやって現在を過去と結びつけるというのか？

最後に、そしてこれがもっとも重要だが、これまでのところ文句のつけようのないものとみなされてきたアウグスティヌスの分析は、ここにいたってぼくたちの日常の経験から離れはじめているように思われる。現在が中断するところを見た者がいるだろうか？　現在は変わるのだろうか？　もちろんだ。だがそれは、現在が存続しつづけるという条件においてのみのことだ。現在であったものは、もはや現在ではなくなるのだろうか？　言うまでもない。でも、現在は依然として現在でありつづける。きみはそれ以外のものを経験したことがあるだろうか？　生まれて以来、きみは過去の一秒でさえも、未来の一秒の千分の一でさえも経験したことがあるだろうか？　きみは現在に属さない瞬間や、今日ではない一日をすごしたことがあるだろうか？　現在は中断しないという条件のもとでしか、なにかが中断することはありえないというのに、現在が「存在しなくなる」という言いかたに、なんの意味があるのか。いずれにせよ、ぼくの考えを言えば、もちろん現在が消滅してゆくのを見たことなどない。現在はいつも連続しており、持続しており、存続してゆく。よく考えてみれば、現在こそ、ぼくにとって欠けることのありえない唯一のものだ。お金に事欠くことはよくあるし、愛や健康や勇気に欠けることもたまにある……。でも、現在を欠くことはない。時間を欠いたことがあるだろうか？　だれにとってもと同じく、そんなことはない。しかるに、欠けた時間はほとんどのばあい未来であり（普通これは切迫と言われる。このばあいには手もちの時間が欠けているわけだ）、ときに過去だった（普通これは郷愁と言われる。このばあいは、かつてあったものを自分の背後に欠いているわけだ）。だが、現在が欠けることはけっしてない。現在はつねにそこにあり、それだけで満ちたりている。

　そればかりか、あらゆる欠如の前提となるものを欠くなどということがありうるだろうか？　見ることや中断することや存在することのすべてに不可欠なものが、存在することを中断するのを眼にするなどということがありうるだろうか？

現在はけっして停止することも、開始することもない。現在が未来から到来することも、中断して過去になってしまうこともない。現在は存続し、変化をもたらす。現在は持続し、みずから変わってゆく。現在が変化をもたらしみずから変わってゆくのも、あくまでそれが持続し存続しているからだ。スピノザによれば、「持続とは、存在の無限定の継続にほかならない」。それは時間そのものだ。時間とは、存在が連続的に、つねに変化しつづけながら現在しているということだ。してみれば、アウグスティヌスの定式を転倒する必要があろう。彼によれば、「時間があると断言することをわれわれに可能にしてくれる当のものは、時間がもはやないものへと向かおうとするものだということだ」。だが、この反対が正しいように思われる。すなわち、時間があるとぼくたちに断言させてくれるものは、時間がおのれを絶えず維持しつづけているということなのだ。

そうなると、時間と永遠とは同じことになるのではないかと言われるかもしれない。それでよいのではないだろうか。だが、この点については本章の最後で立ちもどることにしたい。

持続と時間

過去はもはやなく、未来はまだない。あるのは現在だけであり、現在こそがただひとつの現実の時間だ。だが、ぼくたちは時間をそんなふうに経験してはいない。それどころか、ぼくたちが時間のことを意識するのは、もっぱら過去を思いおこしているときや未来を予期しているとき、両者を分かつものを精神や時計によって了解しているときだ……。時計によってとは、どういうことなのだろう？　だが、この動いている針は、現在の断片にすぎない。ベルクソンの言ったように、それは時間にではなく空間に属している。針の以前の状態を思いだし、針のつぎの状態を予想し、そこに持続を読みとることができるのは、精神だけだ。精神を抹消してしまえば、過去も未来もない現在しか残らない。針のいまの状態しか残らない。つまりは空間しか残らない。だが、精神は現にある。それは記憶があるからだ——ということは、過去や現在やさらには未来をも覚えている（打ちあわせや計画や約束をするばあいを考えてもらいたい）身体が現にあるからだ。これはもはや空間にではなく持続に属している。もはや運動にではなく意識に属している。もはや瞬間にではなくへだたりに属している。だからこそ、ぼくたちは時間を計測できるのだし（現在を計測しようと試みても不可能だが）、ぼくたちにとって時間は永遠と対立するものとなり（このばあいの永遠とは、過去も未来も欠いた純粋な現在であることになるだろう）、要するに、ぼくたちは（現在のなかにいるばかりでなく）時間のなかにいる——あるいは、もしかすると時間がぼくたちのなかにあるのかもしれない。

どうして、こんなあいまいな言いかたしかできないのだろうか？　それは、ぼくたちが計測し想像する時間はなによりも過去と未来とから構成されているのだが、この両者が精神にとってしか存在しないものだからだ。同じことが時間そのものにも当てはまらないとだれに言えようか。時間の主観性あるいは客観性への問いでもあるこの問いこそが、哲学的に重要な問いだ。時間は、世界や自然や現実それ自体の一部をなしているのだろうか？　それとも時間は、ぼくたちにとってしか、ぼくたちの意識にとってしか、つまり主観的にしか存在していないのだろうか？　この二つの説は厳密には相互排除的なものではない。それぞれの観点から見てどちらも正しいということはありうる。つまり、異なった二つの時間が、あるいは時間を思考する異なった二つのしかたがあるということなのかもしれない。一方には客観的な時間、世界のあるいは自然の時間があり、それは、ヘーゲルの言いかたを借りれば、永遠のいまであり、そのかぎりでつねに不可分だ（現在を分割することなどできるわけもない）。他方には意識や魂の時間があり、それは過去と未来との――精神のうちでの、精神にとっての――総和にほかならない。前者を持続、後者を時間と呼びわけることができる。だがそれは、じっさいのところはただひとつの同じものが二つの異なった観点から考察されているにすぎないのだということを忘れてはならない。言いかえれば、時間とは持続の人間的尺度にすぎない。スピノザによれば、「持続を限定しようとして、われわれはそれを、一定で確実な運動をもつ事物の持続と比較する。その比較が時間と呼ばれる」。だが、比較は比較であって証明にはなりえない。だからこそ、持続と時間とを混同してはならないが、かといって両者を、いずれもが同等の資格で存在するかのように、きっぱり区別するのも誤りだ。じっさいにはそうなっていない。持続は現実の一部であり、さらに言えば持続は現実そのものだ。持続とは現実の存在の尽きることのない連続だ。時間のほうはと言えば、それは理性的存在にすぎない。つまりそれは、万物の不可分で共約不可能な持続を、ぼくたちが思考し計測するやりかただ。

　こうした意味で、持続は存在に属し、時間は主観に属している。後者の時間は生きられる時間とも主観的な時間とも言われる（が、これのみが、客観的時間を計測することを可能にするのであり、時計は意識にとってしか存在しない）。これは、二十世紀の哲学者たちが好んで時間性と呼ぶものだ。これは世界の、というよりは意識のひとつの次元だ。これもまたアウグスティヌスの言いかたを借りれば、それは存在ではなく魂の延びひろがりであり、カントが言ったように、客観的現実でも現実それ自体でもなく、感性のアプリオリな形式のひとつであり、対象の所与ではなく主観の所与だ。でも、ぼくたちは主観性を通じてしか時間を経験できないのであり、その点ではカントやフッサールに賛同することができるが、だからといってそれは、時間が主観性に還元されうるという証明にはならないし、ぼくには、この見解は誤っているように思われる。というのも、時間がぼくたちにとってしか存在しないなら、どうしてぼくたちは時間のうちに生じることができたのだろうか？　ぼくたちに先行する時間、意識に先行する時間は、時間がなければそもそも意識の出現することもなかったのであってみればなおのこと、意識に先行してあったにちがいないのに、意識にとっては遡行的にしかあらわれないこの十億年（この数字は、現代の物理学者や地質学者、さらには古生物学者たちに負っている）に、どんな現実が対応するというのか？　もし時間がぼくたちにとってしか存在しないとしたら、ビッグバンと生命の出現とのあいだにどうやって時間は経過したのだろうか？　そしてもし時間が過ぎさらなかったとしたら、自然はどうやって進化や変化や創造をなしとげられたのだろうか？　時間が主観的なものでしかないとしたら、どうやって主観性は時間のなかにあらわれることができたのだろうか？

ある期間を、たとえばぼくたちが生きている今日を考えてみよう。ある部分はもう過ぎさっており、別の部分はこれから到来する……。両者を分かつ現在にかんして言えば、現在とは持続なき瞬間にすぎず（もし現在が持続するとしたら、それ自体が過去と未来とから構成されていることになる）、時間には属していない。ぼくたちがこのようなものを時間として感じているのは、ぼくたちの意識がもはやないものをまだ引きずっており、まだないものを予想している、要するに、生きられる現在というひとつの現在のうちに、じっさいには一緒に存在しえないものを存在させているからだ。だからこそ、マルセル・コンシュがきちんと見てとっていたように、時間性がぼくたちに時間を理解させてくれるのは、まずもって時間性が時間の否定であるかぎりでのことなのだ。人間は時間に抵抗する（なにしろ、人間とは想起し予想する生きものなのだから）。だからこそ、人間は時間を意識する。精神はつねに否定をおこなっており、精神とは、記憶であり、想像力であり、執着であり、意志だ……。だが、ぼくたちが時間に抵抗できるのも、時間のなかでのことにすぎない。記憶や想像力や執着や意志にしても、それらが存在しうるのは現在においてのことでしかない。精神が存在するのも、世界あるいは身体においてのことでしかなく、それこそがまさに実存するということだ。まずもって時間に属していうるという条件のもとでしか、時間と闘うこともできないというのに、どうしてぼくたちに時間を乗りこえられるというのか。

時間と永遠

時間とは、つねにもっとも強力なものだ。なぜなら、時間はいつでも現にあり、つねにあるものであり、現在とは存在にとってのただひとつの「がある《イリヤ》」であり、あらゆるものがそのなかで経過しながらもそれ自身は経過しないものだからだ。だからこそ、ぼくたちは老いてゆき、死んでゆくのだ。ロンサールが、二行の詩でもって、本質的なことを言いあてていた。

「ときはすぎゆく、ああときは、恋人よ、
ああ、ときでなく、すぎゆくは私たち」

だからこそ、若さと人生とを享受しなければならない。だが、どうやって？　いまを生きることによってだろうか？　もちろん、それはそうするべきだ。なにしろそれだけがぼくたちに与えられているものなのだから。瞬間を生きろということなのか？　まかりまちがってもそう考えてはならない。そんなことをすれば、記憶も想像力も意志も、つまりは精神とおのれ自身までもが否定されてしまう。思考しようとすれば、さまざまな観念を想起しないわけにはゆかない。愛するためには、自分の愛するものどもを覚えていないわけにはゆかない。行動するためには、自分の欲望や計画や夢を覚えていないわけにはゆかない。きみが学業を修めたり、年金のために積立金をはらったりするのは、自分の未来を準備しようとしてのことであり、それはもっともなことだ。だが、きみが学業を修め、積立金をはらっているのは、未来においてのことではなく、まさにいまのことだ。もしきみが約束を守るなら、それはまずもってきみがその約束を覚えているからであり、もちろん約束は覚えていなければならない。でもきみが約束を守るのは、過去においてのことではなく、まさにいまのことだ。いまに生きるというのは、記憶や意志を切りすてることではない。記憶も意志もいまの一部なのだから。それは瞬間を生きることでもない。なぜなら、生きるとは持続することであり、もちこたえることであり、成長することであり、歳をとることだからだ。瞬間は、瞬間であるかぎりは、人間にとって住みかとはならない。持続し変化してゆく現在だけが、想像し想起する精神だけが、人間にとっての住みかだ。おそらくは、この精神にしても、現在だけに——大脳のなかに——属しているもののように思われる。ぼくたちは世界に属している。それが身体と呼ばれる。ぼくたちは世界内に存在している。それが精神と呼ばれる。そしてぼくの考えでは、この二つのものはひとつのものでしかない。だが、世界には精神はなく、精神は世界ではない。だからこそ、いたるところに忘却や死や疲労や愚かさや無が潜在しているのだ。実存するとは抵抗することであり、思考するとは創造することであり、生きるとは行動することだ。

抵抗も創造も行動も、現在においてしか――現在のほかにはなにもないのだから――なされえず、現在の後にはまた別の現在がつづくだけだ。過去や未来に生きることなどできるものだろうか？　そのためには、もはやないものに、あるいはまだないものにならなければならない。ストア主義者たちや賢者たちの言うように、いまに生きることは、夢想でも理想でもユートピアでもない。これこそが、生きるということのきわめて簡単であると同時にはなはだ厄介な真理だ。永遠はどうなるのか？　アウグスティヌスの考えたように、永遠とは「永遠の今日」のことであるなら、明日のために永遠を待つのは無意味になるだろう。これもアウグスティヌスのことばだが、永遠とは「永遠の現在」のことであるなら、それは現在そのものであるだろう。これは時間の対極ではなく、時間の真理だ。なにしろじっさい、つねに現在であり、つねに顕在的であり、つねに活動しているということこそが、時間の真理なのだ。スピノザは『エチカ』でこう述べていた。「われわれは自分たちが永遠であると感じ、体験している」。これは、ぼくたちが死なないという意味でも、ぼくたちが時間のなかにいないという意味でもない。これが言わんとしているのは、死はぼくたちからなにひとつ奪いさるものではなく（死がぼくたちから奪いさるのは、存在していない未来だけだ）、時間はぼくたちからなにひとつ奪いさるものではなく（現在がすべてなのだから）、最後に永遠を希望するのはばかげているーーぼくたちはすでにそこにいるのだからーーということだ。ウィトゲンシュタインが彼なりの言いかたでこう言っている。「もし永遠ということで、終わりなき持続ではなく無時間性を考えるなら、現在を生きる者は永遠の生をもっていることになるだろう」。してみれば、ぼくたちは全員いつでも永遠の生をもっており、すでに救われている。ぼくたちが無時間的な存在だからだろうか？　ぼくとしては、そうは言いたくない。永遠性とは、その真の姿においては、現実と真実との絶えざる現前以外のなにものでもない。昨日を経験した者がいるだろうか？　明日は？　ぼくたちは今日にしか生きられない。それが生きると呼ばれることだ。

　相対性をもちだしてみても、事態はなにひとつ変わらない。アインシュタイン以来ぼくたちも知っているように、時間は速度と質量に依存しているが、だからといって、もうないものや、まだないものがあることになるわけではない。バシュラールによれば、「相対性を鋭くついているアインシュタインの思想の核心は、時間の経過、すなわち時間の長さにある」。これは現在そのもののことではない。そのことは、有名な「ウラシマ効果」の例から確証される。これは思考実験だが、計算と実験によって（特殊な諸要素の水準においては）確証されていることだ。双子の兄弟の一方が地上にとどまり、もう一方は光速に近い速さで飛ぶ星間旅行に出かけるとすると、後者が地球に帰ってきたときには、二人は同じ歳ではなくなっている。宇宙飛行士のほうの兄弟は数ヶ月しか歳をとっていないが、地上にいたほうの兄弟は数年も歳をとっている……。ここから、時間は速度との関係で変化するのであり、ニュートンが信じたような普遍的で絶対の時間など存在せず、相対的にして可塑的であって、速度との関係において程度に差こそあれ膨張する余地をもった複数の時間がある、と結論づけられる……。もちろんそれはまちがってはいないだろう。しかし、だからといって、過去が存在することにも未来が存在することにもならないし、この双子のどちらかが一瞬でも現在から離れたことになるわけでもない。だからこそ、これもバシュラールの言ったように「まったく厳密に捉えられた瞬間は、アインシュタインの学説においても、依然として絶対的だ」。それは、「ここといまにおける」空間－時間中の一点であり、「ここと明日とのあいだにあるのでも、あそこと今日とのあいだにあるのでもない」。まさに、いまここにある。それは、現在そのもの、あるいは複数の現在だ。それらはどれも異なっており、どれも変化するが、どれもが顕在的だ。これが宇宙と呼ばれているものだが、だからといって宇宙は、時間のなかにあるわけでも空間のなかにあるわけでもない。なにしろ宇宙とは空間－時間であり、そのただひとつの実体なのだ。

　現在がすべてだというのに、ぼくたちに現在の外に出ることができるのだろうか？　精神でさえも現在に属しているというのに、どうしてぼくたちはそんなことを望むのだろうか？　見ておわかりのように、本章はそろそろ終わる。この章は、すでにかすみかかっている過去のように、おおよそのところきみの背後にある。だが、きみがこの章を読んだということも、いつか読むということも、ちょうどぼくがこの章を書いてしまったのが現在においてのことであるのと同じように、現在においてしか言えない。きみの人生についても事情は同じだ。このほうがはるかに重大だ。人生は、ぼくたちをおびやかす運命や猛獣のように、未来のなかにひそんでいるわけではないし、天国や約束のように天空のなかに隠されているわけでもなく、檻や牢獄のなかにあるように、過去のなかに閉じこめられているわけでもない。きみの人生はいまここにあるのであり、いま現にきみが生き、おこなっている当のものであり、存在のただなかに、現在のただなかに、万物のただなかに――現実と生きることとの果てしもない風のなかに――ある。なにも前もって書きこまれてはいないし、なにも約束されてはいない。ストア主義者たちの言っていたように、ただ現在だけが存在しているなら、ただ行為だけが現実だ。夢想や空想や想像にしたって、行為することであるのに変わりはない。なにしろ、それも生きること――ただし最低限のかたちでの――ではある。そうしたことを自分に禁じるのはまちがっている。だが、それだけで満足してしまうのはもっと大きなまちがいだ。それよりはむしろ、自分の人生にとりかかり、現在にいあわせるべきだ。セネカによれば、「生きることにとっての最大の障害は、期待をもつことだ。〔……〕将来のことはすべて、不確実性の領分に属している。いますぐ生きるべきだ」。

Carpe diem《カルペー・ディエム》〔今日を楽しめ〕ということなのだろうか？　それだけでは足りない。日々はすぎていき、一日たりとも残りはしないのだから。むしろ現在を楽しむことだ。現在は変わりながらも連続している。だから、永遠を楽しめ〔Carpe aeternitatem《カルペー・アエテルニターテム》〕。

それは瞬間を生きるということなのか？　そんなことはない。瞬間のうちで、試験の準備をしたり、休日の計画をたてたり、約束を守ったり、友情や愛情を築きあげることなどできるはずもない。では、現在を生きるということなのか？　それがただひとつの道だ。未来において、はたらいたり、楽しんだり、やりくりしたり、愛したりできるはずもない。

現在こそが、行為の唯一の場であり、思考の唯一の場であり、記憶と期待との唯一の場でもある。それは世界のカイロス（これは、好機あるいはしかるべきとき、行為すべきときといった意味をもつギリシア語だ）であり、あるいはカイロスとしての世界だ——これこそが、現にある行為にほかならない。

存在が時間のなかにあるから持続するのではなく、存在が持続するからこそ時間がある。

現在を生きるってどういうことなのだろう？　たんに真実の人生を生きるということだ。ぼくたちはすでにその王国のなかにいる。永遠、それはいまなのだ。

第十一章　人間

「人間は人間にとって聖なるものだ」——セネカ

人間の定義

人間とはなにか？　哲学の歴史を見れば、数えきれないほどの答えがある。アリストテレスの考えたように、人間とは政治的動物なのか？　これもアリストテレスの言ったように、人間とは語る動物なのか？　プラトンがふざけて主張したように、人間とは羽のない二本足の動物なのか？　ストア主義者たちやついでスコラ学者たちの考えたように、理性的な動物なのか？　笑う生きものなのか（ラブレー）、考える生きものなのか（デカルト）、判断する生きものなのか（カント）、労働する生きものなのか（マルクス）、それとも創造する生きものなのか（ベルクソン）？

ぼくの見るところ、これらの答えのどれひとつとして十分なものではないし、これらの答えをすべて足してみても、完全に満足のゆく答えにはならない。その理由はなによりもまず、これらの答えが、外延という点で、おそらくはあまりに広すぎると同時に、まちがいなくあまりに狭すぎるからだ。よくできた定義は、定義されるもののすべてに、そしてそれだけに当てはまるべきだ。いま言ったことは、これらのかくも有名な定義だけに言えることではない。イルカのなかにあるいはしかじかの宇宙人のなかに、言語や政治組織や思考や労働などが存在していることが証明されたと仮定してみよう。そうしたものがあったからといって、イルカや宇宙人が人間になるわけではないし、だからといって、人間が鯨や火星人に変わってしまうわけでもない。また、天使についてはどうだろうか？　彼らは笑うことあると言われているが……。

　だから、定義が広すぎるというのは、さきの諸定義が定義されているものだけに当てはまるものではないからだ。なんらかの生きものが社会のなかで生き、ことばをもち、思考し、判断し、笑い、生存に必要な道具をつくりだすことはできるかもしれないが、だからといって、その生きものが人類の一部になるとはかぎらない。

　だが、さきの諸定義はあまりに狭すぎもする。というのも、これらの定義は定義されたもののすべてに当てはまるわけではないからだ。話すことも、推論することも、笑うことも、判断することも、労働することも、政治をいとなむこともむずかしい重度の知的障害者がいるとしよう。だからといって、彼が人間でないわけでは、もちろんない。彼は社会のなかで生きていると言えるだろうか？　ぼくたちの飼っているペットや動物より少しだけよい程度で、あるいは同じ程度で、またはそれ以下の程度で、と見る向きもあるかもしれない。しかし、知的障害者を動物なみに扱うことに——かりに彼らが優しく飼いならされた動物のように見えたとしても——、だれが同意できるだろうか？　だれが彼らを動物園のなかにいれておこうと思うだろうか？　ときにわれわれ人間がこれ以上にひどいことをしてきたのは事実だが、そんなことが受けいれられることだと判断する哲学者はいない。

イルカや宇宙人が知性をそなえていたとしても人間ではなく、重度の知的障害者はいうまでもなく人間の一員なのだから（おわかりのように、ぼくが重視するのは後者のほうだ）、そこから引きだされるべき結論は、機能的なあるいは規範的な諸定義は十分な定義ではないということだ。人間は、正常とされる機能を果たせないときでも、やはり人間だ。つまり、機能も規範も定義の価値はもちえない。人間性は、人間のなすことや人間になしうることによって定義されるものではない。あるがままの姿によって定義されるのだろうか？　おそらくそうではあろう。だが、あるがままの姿とはなにか？　理性も、政治も、笑いも、労働も、どんな能力にせよ、人間に固有のものではない。人間には固有のものなどない。と言うよりは、結局どんな固有のものをもちだしても、人間を定義するのに十分ではない。

このことは、ディドロがすでに見てとっていた。『百科全書』の「人間」という項目で、彼は定義を企てている。「人間とは、感情をもち、反省し、思考する生きものであり、大地の表面を自由に歩行し、ほかのあらゆる動物たちを支配し、その先頭に位置しているように思われ、社会生活をいとなみ、学問と芸術を発明し、おのれに固有の善良さと邪悪さとをもち、指導者を選び、もろもろの法律をつくりだした生きものだ」。この定義も、さきの諸定義と同じ長所と短所とを抱えている。だが、ディドロはそのことをわきまえていた。彼の定義の末尾にこめられている笑いが、そのことを説明し告げている。「このことばが意味をもつのは、それがわれわれに、われわれがなんであるかを思いおこさせてくれるかぎりでのことだ。だが、われわれがなんであるかは、ひとつの定義のうちには入りきらない」。

事実としての人間

だが、なにを、あるいはだれについて語っているのかもわからないというのに、どうして人間の権利についてなど語ることができるのだろうか？　すくなくともある基準が、はっきりした目印が、なんらかの帰属特徴——アリストテレスであれば、それを種差と呼ぶことだろうが——が、必要だ。それはどんな特徴だろうか？　ぼくたちが帰属している種そのものがそれにあたる。人類とはなによりもまず、その成功によって左右される成果のようなものではない。人類とはひとつの所与であり、その失敗のうちにさえ認められるものだ。

だからこそ、生物学にたちもどる必要がある。といっても、別の定義に使えそうな特徴を探すためにではない。そうした特徴にしても、やはり議論の余地のあるものだ。たとえば、直立姿勢や親指がほかの指と向かいあっている点、大脳の重量や種間稔性〔種間の交雑である程度繁殖力のある子を生ずること〕といった特徴にしても、人間のなかで例外がないわけではない。生物学にたちもどらなければならないのは、なによりまず、概念を定義するためにではない。それは、人間には二つの性があり、受胎や妊娠、出産をするといった経験をもつという事実、つまりは身体の経験と和解するためにだ。ぼくたちはみな女性から生まれ、産みおとされたのであり、創造されたわけではない。知的障害者も天才も、誠実なひとも下劣なひとも、老人も子どももその点では変わらない。このことこそ、どんな宇宙人にも天使にもけっして主張できないことだ。人間とはなによりもまず、ある特定の動物種だ。そのことを遺憾に思うのは、大きなまちがいだ。それは、特定の動物種であることからぼくたちが享受する強い快楽のゆえにではなく、それを否定してしまえば、ぼくたちの存在を可能にする当のものを遺憾に思うことになってしまうからだ。エドガー・モランが思いおこさせてくれるように、ぼくたちは哺乳類であり、「霊長目、ヒト上科、ヒト属、ホモ・サピエンス種……」に属している。こうした帰属から、別の定義が出てくる。その定義は、もはや機能的なものではなく、類にかかわる定義だ。それはぼくなりに用いるもので、どんなばあいでもぼくには十分な定義だ。すなわち、ひとりの人間であるとは、まさに二人の人間から生まれたものであるということだ、というのがそれだ。これは、厳密で慎重な生物学主義だ。この定義にふくまれるすべての存在は、ことばをもつにせよもたないにせよ、思考するにせよしないにせよ、社会のなかで生きているにせよいないにせよ、創造や労働を受けいれる余地をもっているにせよいないにせよ、ぼくたちと同等の権利をもっており（じっさいにはその存在がその権利を行使しえないとしても）、あるいは、こう言っても同じことだが、そうした存在にたいしてぼくたちはみな同等に義務を負っている。
人間性とは価値である前にひとつの事実であり、道徳上の身分である前にひとつの種だ。そして人間性が（それが非人間性の対極であるという意味での）ひとつの価値や道徳上の身分になりうるのも、あくまでまずはこの事実と種とに誠実でありつづけるかぎりでのことだ。モンテーニュのことばだが、「どの人間も、自分のなかに人間の性状の完全なかたちをそなえている」。どれほど卑劣な人間でも、これを逃れることはできない。残酷であったり、野蛮であったり、粗野であったりするために、非人間的な人間はたしかに存在する。だが、彼らが人類に属していないと主張するのは、それ自体、彼ら以上に非人間的であることになる。ぼくたちは人類のなかに生まれ、人間性を獲得してゆく。だが、それにしくじった者でも、やはり人類に属してはいる。人間とはなによりもまず所与であり、創造される者あるいは創造する者になるのは、その後のことだ。つまり人間とは文化的である以前に自然なものであり、それは本質ではなく、親から生まれたものだ。人間は、人間の子であるからこそ人間なのだ。

ここから、クローン製造や優生学、ついには人間の――さらには超人の――人為的な製造といった問題が生じてくる。こうした技術を拒否するだけの十分な理由がぼくにはある。もし人間性がその本質によってよりも親子関係によって、精神によってよりも出産によって、その機能や性能によってよりも人類にたいしてぼくたちの負っている義務によって定義されるのだとしたら、こうした親子関係や出産や義務をしっかりと保たなければならないことになろう。人間性は賭け《ジュウ》ではなく、賭けられている《アンジュウ》ものなのだ。第一に、人間性は創造されるものではなく伝えられるものであり、発明されるものではなく誠実に受けつがれてゆくものだ。遺伝学の目ざましい進歩をうまく活用して、つまりそれを各人が自分にできうるかぎりのまったき人間になるのに利用しても、だれも非難はしないだろう（これは遺伝子治療と呼ばれるものだ）。だからといって、人間性を向上させるためだとしても、人間性そのものを変えてしまってよいということにはならない。医学はさまざまな病気と闘う。だが、人間性はそうした病気のひとつではない。つまり、人間性を医学の管轄下にいれてしまうことが正しいということにはならないのだ。

人間性を凌駕することはどうだろうか？　そんなことをすれば、人間性を裏切り、失ってしまうことになろう。あらゆる生きものはみずからの存在を維持しようと努める、とスピノザが言っていた。人間の存在も、たとえ天使に変わろうとも馬に変わろうとも、それによって破壊されてしまうことに変わりはない……。優生学も野蛮も同じ類のものだ。一人ひとりの人間を癒すのはよいことだ。それはいくらやってもやりすぎにはならない。だが、種としての人間を変えてはならない。遺伝子治療の領域では、両者の境界が微妙であり疑わしくなっていることはぼくも知っている。だからこそ、この問題についてはよく考え、注意をはらう必要がある。人間は神ではない。人間は、みずからの原因になることもみずからを破滅にもたらすこともしないという条件のもとでのみ、ほんとうに人間でありつづけるのだ。

実践的人間主義と理論的人間主義

人類がなによりもまず動物種のひとつであることからは、さらに、そしてとりわけ、人間主義《ヒューマニズム》の問題が提起される。このことばは、二つの意味で受けとられうる。一方で、実践的なあるいは道徳的な人間主義というものがあり、それはもっぱら、人間性にある種の価値を認め、すべての人間にたいして、いくつかの義務と禁止とを課すことを本領としている。これはこんにちでは、人間のさまざまな権利、というよりはむしろそうした権利の哲学的な根拠と呼ばれているものにかかわる。もし人間たちにいくつもの権利が認められるとしたら、それはなによりもまずぼくたち全員が、おたがいにたいしていくつもの義務を負っているということであろう。殺してはいけない、盗んではいけない、抑圧してはいけない、隷従させてはいけない、暴力をふるってはいけない、虐待してはいけない、侮辱してはいけない、誹謗してはいけないなど……。こうした人間主義は、政治的なものである以前に道徳的なものであり、現代の人びとのほとんどによって認められている。どうしてぼくたちは、もはや自慰や同性愛を罪とはみなさなくなったのだろう？　それは、こうした行為がだれにも害をもたらさないからだ。どうしてぼくたちはいまでも、昔以上に、性暴力や売春斡旋、小児愛を非難するのだろう？　こうした行為には、他者への暴力や他者の奴隷扱い、他者にたいする搾取や抑圧がともなうからであり、要するに、それらが他者の権利や完全性、自由や尊厳……を損なわずにはおかない行為だからだ。これだけでも、世間一般のなかで生じてきた道徳がどんなものであるかは十分に語られている。こんにちの道徳は、もはや絶対的なあるいは超越的な禁止に服従するものではなく、人間のいだくさまざまな利害を、とりわけ他者の利害を考慮にいれるものであり、ぼくたちがそこに認めるのは、もはや宗教の付属物ではなく、実践的な人間主義の核心そのものだ。どうして「実践的」なのか？　それは、ここで問題にしている人間主義が思考や観照（テオーリア）よりも行動（プラクシス）にかかわるものだからだ。ここに賭けられているのは、人間についてぼくたちの知っていることや信じていることではなく、人類のためにぼくたちが望むことだ。すでにセネカが言っていたように、人間が人間にとって聖なるものであるのは、人間が神だからでも、神が人間に命令しているからでもない。人間が人間だからであり、それで十分なのだ。

　したがって実践的な人間主義とは、道徳としての人間主義にほかならない。それは人間的に、人間性のためにふるまうということだ。

　だが他方で、これとは別の人間主義もあり、それを理論的なあるいは超越論的な人間主義と呼ぶことができる。そこではなにが問題となっているのか？　一定の思考や信念ないし認識であり、すくなくとも認識であろうとするものだ。それは、人間や人間の価値についてぼくたちの知っていること、あるいは信じるべきことであり、これによって人間にたいしてぼくたちの負う義務が基礎づけられることにもなる……。だが、この意味での人間主義にとっては、ときとしてみずからがよりどころにする知そのものが障壁となる。なにしろ、ぼくたちが人間について知っていることは、第一に、アウシュヴィッツを見ればわかるように、人間はどんな恐ろしいことをもおこなえるということであり、そこまでゆかなくとも、たいていのばあいよいことよりもつまらないことのほうがやれてしまうということなのだ。第二に、ダーウィンが示したように、人間はいまある姿を選んだわけではない（人間は、原理というよりは結果だ）。そして最後に、人間は神ではない。なぜなら、人間は身体をもち（だから人間には、全能で不死の存在になることはかなわない）、第一に自然的な、第二に文化的な歴史をもち、最後に社会と無意識とをもっており、人間がそれらを支配している以上にはるかに強く、人間はそれらに支配されているからだ。ここでこそ――フロイトやマルクスやデュルケームといったひとたちの――もろもろの人間諸科学が、ぼくたちが自分自身についていだきがちな観念を転倒することになる。アルチュセールの言いかたを借りるなら、人間諸科学の理論的な反人間主義《アンチ・ヒューマニズム》のゆえに、神を信じるように人間を信じることは、ぼくたちには許されない。言いかえれば、人間を存在や思考や行為の基礎たらしめることは許されないのだ。たとえば、レヴィ＝ストロースの書いているところでは、「人間諸科学の最終目標は、人間を構成することにではなく、人間を解体するところにこそある」のだが、そのためには、「文化を自然のうちに、そして最終的には、生をその物理‐化学的な諸条件の全体のうちに」再統合しなければならない。人間は自己原因でも、まずもっておのれの主人でもないし、そればかりかおのれにとって透明なものでさえない。人間とは特定の歴史の結果であり、それと知らないうちに、この歴史によって貫かれ構成されている。人間とはみずからがつくりだしたものでしかないのだが、それはなによりもまず人間がみずからを（身体や過去や教育などによって）つくりあげるものにほかならないからだ。サルトルの言ったように、人間が「刻々に人間をつくりだすという刑罰に処せられている」としても、それはすでにあるものを土台にしてのことだ。人間性とは、白紙のページでも、みずからの手による純粋な自己創造でもない。それはひとつの歴史であり、ひとつのあるいは複数の決定の産物であり、ひとつの冒険だ。

スピノザの言っていたように、「人間は国家のなかの国家ではない」。人間は自然の一部であり、自然の秩序にしたがっている（たとえ人間が自然を破壊し荒廃させているように思えるばあいでも）。人間とは、人間がつくりあげ、人間をつくりあげもする歴史の一部だ。人間は社会や時代や文明の一部だ……。だからこそ、人間がどれほどひどいことでもおこなえるというわけも、十分に理解できよう。つまり、人間とはやがて死んでゆく動物であり、そのことをわきまえており、本能以上にさまざまな欲望に左右され、理性以上にさまざまな感情によってつきうごかされ、思考以上にさまざまな幻想によって流され、知性以上に怒りに支配される動物なのだ……。エドガー・モランによる巧みな定式がある。「ホモ・サピエンス〔知恵のヒト〕であるのはホモ・デメンス〔錯乱のヒト〕だからだ」。人間のなかには、どれほどの暴力や欲望や恐怖がうずまいていることだろう。人間にたいして自己防衛を怠ってはならず、それだけが人間性を役だてる唯一の方法でさえある。

「私は、いわば頼りないみずからの手で自分たちの運命のもとに置かれている人類の行く末を悲観している」とラ・メトリが書いていた。だが、それ以外の運命はないのだ。ぼくたちの孤独がぼくたちの義務をも決める。ぼくたちがなんであるかについて人間諸科学が教えてくれることがらは、たしかに大切なものだが、道徳の代わりにはならない。ぼくたちが人間について知っていることは、ぼくたちが人間にたいしてなにを望むかについては、なにも語っていないに等しい。利己主義や暴力や残酷さといったものが科学的に解明されても（それらは現実のものなのだから、いつかは解明されるはずだ）、そうしたものの価値についてなにかを語れるようになるわけではない。愛や優しさや同情も、現実にあるのだから解明できるだろうし、これらのほうがはるかによい。なぜだろうか？　スピノザの言ったように、それはある種の人間の理念からしてそうなのであり、この理念は「人間の本質を、われわれのまえに置かれたひとつのモデル」たらしめてくれるものだ。認識することは判断することではないし、その代わりにもならない。人間諸科学の理論的反人間主義は、人間性の価値を失効させるものであるどころか、実践的な人間主義にその必要性と資格とを定めるものだ。それは宗教ではなく道徳であり、信仰ではなく意志であり、理論ではなく闘いだ。それは人間の権利を求めての闘いであり、ぼくたちのだれもが負う最初の義務だ。

幻想なき人間主義

人間性とは観照されるべき本質でも、あがめられるべき絶対者でも、崇拝されるべき神でもない。それは守られるべき種であり、認識されるべき歴史であり、承認されるべき個人の総体であり、擁護されるべき価値だ。道徳の章でも述べたように、大切なのは、人間性がみずからを、そしてぼくたちをそれへとつくりあげたものに値するものでありつづけることだ。それこそが、ぼくが誠実さと呼ぶものであり、これは信仰よりもずっと大切なものだと思われる。

人間を信じるってどういうことだろう？　それよりは、あるがままの人間を認識し、用心するほうがずっとましだ。しかし、だからといって、人間たちがつくりあげた最良のもの――文明や精神や人間性そのもの――にたいして、ぼくたちが受けとったものにたいして、ぼくたちが伝えたいと思うものにたいして、要するに、人間についてのある種の理念にたいして、誠実さを欠いてよいということにはならない。大切なのは、認識よりも承認に、科学よりも人間らしさに、宗教よりも道徳と歴史とに誠実であることだ。繰りかえしておけば、肝心なのは、理論的人間主義ではなく実践的人間主義だ。これだけが価値をもつ唯一の人間主義であり、これは結局人間らしくふるまうということに尽きる。人間は神ではない。ぼくたちがすべきなのは、すくなくとも人間を人間にしてゆくことだ。

モンテーニュは『レイモン・スボン弁護』の末尾で、セネカの一節を思いおこしている。「ああ、もし人間が人間性を超えることがないなら、人間とはなんと卑しくおぞましいものだろうか」。そしてそれにこう注釈をくわえている。「これはみごとなことばであり、有益な望みだが、同じくらい不条理でもある。なにしろそれは、こぶしよりも大きいものをつかもうとし、腕の長さ以上に腕を広げようとし、足の幅を超えた幅をまたごうとするようなことであり、そんなことは不可能でありばかげている。人間が自分と人間性とを超えようとするのも同様だ」。それでも、しなければならないのは、超えるのが不可能なら、せめてしたに落ちないように努めることだ。そうならないという保証はないのだから。

必要なのは、幻想をもつことなく人間を庇護する人間主義だ。人間はまだ絶滅してはいない。種としても観念としても理想としても、まだ存在している。だが、人間は死すべき者だ。だからこそ、人間を擁護してゆかなければならない。

第十二章　叡智

「いくら他人から知識を得たとしても、賢者になるには自分自身の叡智によるしかない」――モンテーニュ

語源的にあきらかなのは、ギリシア語で philosophia《フィロソフィア》とは、叡智を愛することであり、叡智を求めて闘うことを意味するということだ。だが、叡智とはなんだろう？　知なのだろうか？　ギリシア人においても（ソフィア）、ラテン民族においても（サピエンティア）、それがこの語の通常の意味だ。ヘラクレイトス以来のほとんどの哲学者も、そう主張しつづけている。プラトンにとってもスピノザにとっても、ストア主義者やデカルト、カント、エピクロス、モンテーニュ、アランなどにとっても、叡智が思考や知性や認識と、要するにある種の知と関係するものであることはたしかだ。だが、その知は、どんな科学にも提示することができず、どんな論証によっても立証されず、実験室で検査したり確認したりすることもできず、どんな免許の対象ともならない、きわめて特殊な知だ。つまり、問題になっているのは、理論ではなく実践であり、証明することではなく体験することであり、実験ではなく訓練だ。つまり、ここで問題となるのは、学問ではなく生きることだ。

哲学と叡智

ギリシア人はときとして、理論的・観照的な知（ソフィア）と実践的な知（プロネーシス）とを対置していた。だが、どちらも他方なしではなりたたない。というよりも、真の叡智とは、両者の結合であろう。だからこそ、フランス語ではたいていのばあいこの二つは区別されないが、それも当然のことと言えよう。「きちんとふるまうために、きちんと判断すること」という言いかたをデカルトがしていたが、これこそが叡智そのものだ。なるほど、ひとによっては観照に向いたひともいれば、行為に向いたひともいる。だが、どちらの才能もそれだけでは叡智に十分ではない。後者はきちんと見ることを学ぶ必要があり、前者は意志することを学ぶ必要がある。知性だけでも、教養だけでも、器用さだけでも十分ではない。アリストテレスが強調していたが、「叡智は学でも技術でもありえない」。その目標は、なにが真実であり効力をもつかを知ることにあるのではなく、自分やほかの人びとにとって、なにが善いことなのかを知ることにある。それは知《サヴォワール》なのだろうか？　もちろんだ。ただし、生きるための知《サヴォワール＝ヴィーヴル》だ。

　ここで、哲学と叡智とが区別される。どちらかと言えば哲学はよく考えるための知だ。だが、その一方で哲学は、それがぼくたちを叡智へ近づけてくれるのでなければ、意味をもたない。よりよく考えることが必要なのは、よりよく生きるためにであり、それこそが真の哲学だ。モンテーニュによれば、「哲学とはわれわれに生きる術《すべ》を教えてくれるものにほかならない」。そうだとすると、ぼくたちには生きかたがわかっていないのだろうか。そのとおり。ぼくたちは賢者ではないからこそ、哲学する必要がある。叡智とは目標であり、哲学はそこへいたる道だ。

アラゴンの「生きる道を知ったときは、もう手遅れなのだから」という一節が思いおこされる。似たような見解はモンテーニュにも見られるし（「人生が過ぎさってしまってから、生きる術《すべ》を教えられる」）、こちらのほうがより積極的だ。つまりモンテーニュによれば、これは人間の決定的な運命なのではなく教育の誤りであり、だからこそ修正が可能であり、じっさい修正されなければならない。人生は待ってはくれないのだから、哲学するのは早いほうがよい。これもモンテーニュが皮肉をこめて書いていることだが、「大半の哲学初心者たちが、アリストテレスによる節制の教えにいたりつくまえに、すでに性病にかかっている」。梅毒は哲学の領分に入るのだろうか？　もちろんその治療や予防といったことは、哲学の領分には入らない。だが、性や思慮深さや快楽や愛や死……といった主題は、哲学の管轄下にある。医学や予防だけでは十分ではない。それらに叡智の代わりは務まらない。『エセー』にはこうも書いてある。「病気にかかったから死ぬのではなく、生きているからこそ死ぬのだ」。だからこそ、死ぬ術《すべ》を、生きる術《すべ》を学ばなければならない。これこそが哲学そのものだ。モンテーニュはこうつづけている。「子どもに理解できないやりかたで哲学を描き、眉をしかめた、気むずかしげで、ぞっとするような表情で哲学を描くのは、大きなあやまちだ。だれが私にこんな偽りの、青ざめた醜悪な面をかぶせたのだろう。素顔の哲学ほど喜ばしく、あけすけで、楽しめるものはないのに」。哲学と博識とを、厳密さと退屈さとを、叡智と埃《ほこり》とを混同するひとはどうしようもない。あるがままの人生がこんなにも困難で、もろく、危険に満ちた、貴重なものであるからこそ、手遅れになる前に、できるだけ早く哲学するべきなのであり（「ほかのどの年齢とも同じく、幼児期もそこに学ぶべきことがある」）、できるかぎりの力で生きかたを学ぶべきだ。

哲学はそのためにこそ役だつものであり、だからこそ哲学は、あらゆる年齢のひとに、すくなくともおのれの思考や言語をわずかなりとも意のままにできるようになったひとに、役だちうる。数学や物理学や歴史やソルフェージュを学ぶ子どもたちに、どうして哲学が禁じられなければならないのか？　医者や技術者になる準備をしている学生たちに、どうして哲学を教えることをやめるのか？　そして仕事や心配事に没入している大人たちは、いつ哲学にとりくみ、とりくみなおす時間をつくれるのだろうか？　なるほど、生計は立てなければならない。だが、生計を立てるのに追われているからといって、人生を生きることをあきらめるわけにはゆかない。知的に生きようとすれば、どうしてもひとりであるいは人びとと一緒にじっくり考える時間をとらざるをえないし、できるかぎり厳密に自分に問いかけ、推論をはたらかせ、論証を積みかさねることをしないわけにはゆかないし、天才たちの考えてきたことを参考にしないわけにはゆかないだろう。芸術の章で、マルローのことばを引用した。「描く術《すべ》は美術館において学ばれる」。これになならって言えば、哲学する術《すべ》は、哲学の本のなかで学ばれる。だが、その目標は哲学にあるのでも、ましてや本を書くことにあるのでもない。目標は、もっと明晰に、もっと自由に、もっと幸福に――もっと叡智をもって生きることにこそある。そんなやりかたではさきに進むことができないなどと言いはる者がいるだろうか？　モンテーニュは、「子どもの教育について」（『エセー』第一巻第二六章）のなかで、のちにカントが啓蒙のスローガンにすることになる、ホラティウスの定式を引用している。「Sapere aude《サペレ・アウデー》, incipe《インキペ》. あえて知ろうとせよ。あえて賢くあれ。やってみよう」。なぜさきを期待するのか？　なぜ幸福をさきに延ばすのか？　ほとんど同じことをエピクロスも言っていたが、哲学するのに早すぎることも遅すぎることもない。なぜなら、幸福になるのに早すぎることも遅すぎることもないのだから。まさにそうだ。だが、同じこの理由からして、もっとも早いのがもっともよいことは、まったくもってあきらかだ。

望ましい叡智

どんな叡智が望ましいのだろうか？　なににかんしてもそうだが、この点にかんしては哲学者によって意見は分かれる。エピクロスの主張したように、快楽の叡智なのだろうか？　ストア主義者の主張したように、意志なのだろうか？　懐疑主義者たちの言うように、沈黙なのだろうか？　スピノザの言ったように、認識と愛なのだろうか？　カントの言うように、義務と希望なのだろうか？　この点にかんしては各人が、さまざまな学派を参考にしながら、自分なりの見解をつくりあげてゆけばよい。だからこそ、自分で哲学しなければならない。だれにもぼくたちの代わりに考えることも生きることもできはしない。だが、すくなくとも大部分の哲学者が一致するのは、叡智がそれとわかるのは、ある種の幸福やある種の平静さ、いわばある種の内面的な、ただし喜ばしくも明晰な平和においてのことであり、このような平和は理性の厳格な行使なくしては生まれないという点だ。これは不安とも、狂信とも、不幸ともその対極にある。だからこそ、叡智は不可欠であり、哲学する必要がある。ぼくたちに生きる術《すべ》がわかっておらず、それを学ぶ必要があるからこそ、不安や狂信や不幸に絶えず脅かされているからこそ、叡智が必要であり、哲学する必要がある。

　アランによれば、「叡智の対極にある不幸とは、愚かさにほかならない」。逆に言えば、進んでゆくべき方向は、可能なかぎり知的な人生に向かってだ。だが、知性だけでも、書物だけでも、十分ではない。じっさいに生きるためにでなければ、なんのために考えるのだろうか？　諸科学や経済学や哲学のなかには、多くの知性がある。だが、学者や実業家や哲学者の人生のなかに、どれほどの愚かさがあることか。知性が叡智にかかわるのは、知性がぼくたちの生活を変え、解明し、導いてゆく程度においてのことでしかない。体系を考案することが大切なのではない。あれこれの理論や概念だけでは十分ではない。それらは手段にすぎない。ただひとつの目標は、すこしでもよくなるように、すこしでももっと悪くなったりしないように、考え生きてゆくことだ。

マルクス・アウレリウスのすばらしいことばがある。「私のことも、これから私になにが起こるかも神がみによって決定されているのであれば、神がみは叡智をはたらかせて決定をくだされたことだろう。〔……〕だが、神がみがわれわれにかかわることについてなにも決定せず、あるいは神がみが存在していないとしても、私には自分のことを決定し、なにが自分のためになるかを熟考する余地が残されている」。叡智は神聖さではない。哲学は宗教でも道徳でもない。救われるべきなのは、あくまでぼくの人生であって、ほかの人びとの人生ではない。守られるべきはあくまでぼくの利益であって、神や人類の利益ではない。すくなくともこれが出発点だ。ここから進んでゆくなかでぼくが神にであうことはありうるし、人類にであうこともおそらくはあるだろう。だが結局、ぼくが自分に与えられたこの人生を断念することも、自分の自由や明晰さや幸福を断念することもないだろう。

生きる術《すべ》としての叡智

どのように生きたらよいのか？　これこそ、哲学がそのはじまり以来とりくんでいる問いだ。叡智がその答えとなるのだが、それは受肉し、生きられ、現にはたらいているかぎりでの叡智だ。各人が自分に合う叡智をつくってゆくよりほかかない。ここでこそ、生きる術《すべ》のひとつとしての倫理学と、義務だけを配慮するものである道徳とが区別される。倫理学と道徳とがひとつになりうるものであり、そうなるべきであることは言うまでもない。まさに、どう生きればよいのかと自問することは、おのれの義務にふさわしい場所はどこにあるのかと自問することにほかならない。それでも、両者のめざすものが異なっていることに変わりはない。道徳が答える問いは、「私はなにをなすべきか?」であり、倫理学が答える問いは、「どう生きればよいか?」だ。道徳の頂点は徳ないし神聖さであり、倫理学の頂点は叡智ないし幸福だ。殺してはいけない、盗んではいけない、嘘をついてはいけない……それは当然だ。だが、だれがそれだけで満足できるだろうか? だれが、それだけで十分な幸福が、十分な自由が、十分な救いが得られると思うだろうか? ある友人に言われたのだが、「ただエイズにかからないということだけでは、生きる目標にはならない」。これはむろん正しい。でも同様に、殺人も盗みも嘘もいけないということにしても、それだけでは目標にはならない。どんな「してはならない」も、それだけでは十分ではない。だからこそ、ぼくたちには叡智が必要だ。道徳だけでも、義務だけでも、徳だけでも、十分ではないからこそ、叡智が必要なのだ。道徳は命令をくだす。だが、服従するだけで満足できる者がいるだろうか? 道徳は否と語る。だが、禁止にしたがうだけで満足できる者がいるだろうか? 愛や認識や自由のほうがはるかによいものだ。大切なのは、然りと言うことだ。自分にたいして、他人にたいして、世界にたいして、あらゆるものにたいして、然りと言うことだ。これこそが叡智の教えにほかならない。ストア主義者の後を受けてニーチェは Amor fati《アモール・ファティ》〔運命への愛〕と言った。「あるがままのもの以外のなにも望まず、過去に向かっても未来に向かっても、永劫にわたって望まないこと。避けがたいものに耐えるだけで満足せず、かといってそれを隠そうともせず――いっさいの理想主義は、必然性を前にして自分を偽るひとつのやり口にほかならない――、必然的なものを愛すること」。

こうしたからといって、怒りや闘いをまぬがれられるわけでもない。世界に然りと言うことは、世界の一部をなしている自分自身のなかの怒りや行動にたいして然りを言うことでもある。カミュやカヴァイエスを思いおこしてもらいたい。現実を変えてゆくことが肝要なのか？　そのためにはまずもって、現実をあるがままに把握しなければならない。まだないものを出現させる必要があるって？　そのためにはまずもって、あるがままのものにとりくまなければならない。だれもこれ以外のやりかたで活動することも、成果を挙げることもできない。叡智はユートピアではない。どんなユートピアも叡智にはなりえない。世界は夢想の対象ではなく、じっさいに変えてゆくべきものだ。では叡智は？　このばあい叡智とはなによりもまず、真理や行為へのある種のかかわりかたであり、活力を与えてくれる明晰さであり、現にはたらいている活動的な認識であろう。あるがままの事物に眼を向けること。なにが欲しいのかを知ること。物語をつむがないこと。ふりをしないこと。「悲劇のまねごとはやめよう」と、マルクス・アウレリウスも言っていた。あるがままを認識し、それを受けいれること。あるがままを理解し変えてゆくこと。抵抗し乗りこえてゆくこと。なにしろ、立ちむかうためにも、まずはその対象が実在していることを受けいれるよりほかないのだ。病気であることを受けいれずにどうやって治療するというのか？　不正の実在することを認めないでおいて、どうやってそれと闘えるというのか？　現実をあるがままに受けいれるか、かかわらずにいるかのどちらかしかないのであり、変えてゆこうと思うなら、まずは現実を受けいれなければならない。

これこそがストア主義の精神だ。ぼくたちの意志に左右されないものはそのままに受けいれ、ぼくたちの意志にまかされていることをおこなう。それはスピノザ主義の精神でもある。つまり、認識し、理解し、行動する。これはまた、東洋の、たとえばプラジュニァーンパドの精神でもある。「あるがままのものを見て、受けいれ、つぎに、必要なら、それを変えようとしてみたまえ」。賢者とは、ぼくたちがたいていのばあい希望するか恐れるかしかできないでいるときに、行為するひとだ。賢者とは、ぼくたちが普通まだないことがらを希望し、ないものやなくなったものを懐かしむことしかできないでいるときに、あるがままのものに立ちむかってゆくひとだ。これもプラジュニァーンパドのことばだが、「達成されたものごとは過去になる。それはもはや存在してはいない。到達されるべきものごとは未来のなかにある。それもいまは存在してはいない。では、なにが実在しているのか？　いまここにあるものだ。それ以外になにもない……。現在のうちに身をおきつづけよう。そしてとにかく行動してゆこう」。これこそが、生きることを希望するのではなく、おのれの人生を生きるということであり、救いを待ちのぞむ代わりに、できるかぎりおのれの救いをつくりだしてゆくということだ。

叡智と幸福

叡智とは、最大限の明晰さのうちで捉えられた最大限の幸福だ。ギリシア人に言わせれば、それこそが幸福な人生なのだが、その人生とはあくまで人間的な人生だ。言いかえれば責任をともなう、人生と呼ぶに値する人生だ。それを享受すればよいのだろうか？　それはもちろんだ。それを楽しめばよいのだろうか？　できるかぎりそうすべきだ。だが、どうやってでも楽しめばよいというものではないし、どんな犠牲をはらってもよいということでもない。スピノザのことばを借りるなら、「喜びを与えてくれるものはすべてよいものだ」。だが、すべての楽しさが等価なわけではない。「あらゆる快楽はよい」とエピクロスは言った。だからといって、どんなものでも追いかけるに値するわけではないし、どんなものでも受けいれられるわけでもない。だからこそ、選択し、長所と短所とを比較しなければならず、つまりはこれもエピクロスの言ったように、判断しなければならない。叡智とはそのためにこそ役だつものであり、哲学もまた、そのためにこそ役だつ。哲学は暇つぶしのたねでも、かっこよく見せるためのいとなみでも、さまざまな概念で遊ぶための道具でもない。おのれの生命と魂とを救うためにこそ、哲学するのだ。

叡智とは、別の生ではなくこの人生にとっての救いだ。ぼくたちにそんな叡智がもてるだろうか？　たぶん完全にはもてないだろう。だからといって、叡智に近づこうとするのを断念してもよいということにはならない。完全な賢者などいない。だからといって、賢者への道を放棄して完全な狂人になることを選ぶ者がいるだろうか？

　ストア主義者たちが言ったように、きみが前進することを望むなら、自分がどこへ向かっているのかを知らなければならない。叡智とは目標だ。人生も目標だ。だが、ここで言う人生とは、もっと幸福でいっそう明晰な人生のことだ。幸福も目標だ。だが、そのばあいの幸福とは、その真の姿における幸福にほかならない。

　ただし、叡智をおまけつきの理想や、おまけつきの希望、おまけつきのユートピアのように考えてはならない。そのようなものはぼくたちを現実から遠ざけるだけだ。叡智は、期待するしかない、あるいは到達されねばならない別の人生ではない。それはここにある人生の真理であり、大切なのは、この人生をそのままに認識し愛することだ。人生が愛するに値するものだからだろうか？　必ずしもそうではないし、いつもそうだとはかぎらない。大切なのは、人生がそうしたものになるのをめざすことだ。

　モンテーニュのことばだが、「つねに楽しむことこそが、最高の叡智のしるしだ。その状態は、いわば月の光のもとにある事物のように、いつでも平静だ」。さらに、ソクラテスやエピクロス（「望ましいのは、笑いながら哲学することだ……」）やデカルトやスピノザやディドロやアラン……などから引用することだってできる……。彼らが口をそろえて言うには、叡智は、快楽や喜びや行為や愛のがわにある。そして、そうした叡智にいたるには運だけでは足りない。

賢者は、ぼくたちよりも幸福だから人生を愛しているのではなく、ぼくたち以上に人生を愛しているからこそ、ずっと幸福なのだ。

叡智にかんしては、ということは哲学にかんしても駆けだしにすぎず、賢者でもないぼくたちに話を帰せば、ぼくたちに必要なのは、生きる術《すべ》を学び、考える術《すべ》を学び、愛する術《すべ》を学ぶことだ。この作業に終わりはない。だからこそ、ぼくたちはいつまでも哲学を必要としている。

この作業には努力が不可欠だが、同時にそこには喜びもふくまれている。すこし長くなるが、エピクロスから引用しておきたい。「ほかのどんな活動のばあいでも、苦労しながらおこなわれた仕事が終わってはじめて、喜びがやってくる。だが、哲学のばあい、喜びは認識とともに進行する。なぜなら、学び知ったのちに、知ったことへの喜びが生まれるのではなく、学び知ってゆくことと喜ぶこととが同時的だからだ」。

安心してほしい。真理は道の終わりにあるのではなく、この道そのものだ。

訳者あとがき

本書はフランスの哲学者アンドレ・コント＝スポンヴィルの新著 *Présentations de la Philosophie*, Albin Michel, 2000 の翻訳である。コント＝スポンヴィルは、フランスで大ベストセラーになった『ささやかながら、徳について』（邦訳、紀伊國屋書店）を刊行して以来、明晰な論理と魅力ある平明な文章で、一貫して市民の日常生活に役だつ哲学を提唱しつづけ、テレビや新聞雑誌などでも活躍して多くのファンをもつ哲学者である。本書も、一昨年の刊行以来ベストセラーを続けているという。

　この本の原題は、英語風に発音すれば「哲学のプレゼンテーション」ということになり、いわば哲学的思索を読者の眼の前でじっさいにやってみせようという意味である。広告業界でよく使われる「プレゼンテーション」に当たる適当な日本語を思いつけなかったので、意味を汲んで『哲学はこんなふうに』とした。「序文」で言われているように、著者の考えでは、「哲学するとは自分で考えること」ではあるのだが、それをうまくやるには訓練が必要であり、やはり「過去の偉大な哲学者たちの思想」の助けを借りるのが手っとりばやい。その見本を示そうと、著者はこれまで数年間、〈道徳〉〈政治〉〈愛〉……といったテーマごとに、古典から四十ほどの短い抜粋をおこない、それに短い序文を付けて、十二冊の『哲学手帳《カルネ・ド・フィロゾフィ》』を出してきたが、その「序文」だけを集めてつくったのがこの本である。「哲学的思索はこんなふうにやりなさい」という見本を示した本だと言ってよいであろう。

原書では、多くの引用がおこなわれているが、その出典の指示をふくめて注のたぐいはいっさい付けられていない。こうしたばあい、通常この種の翻訳ではそれを調べあげて訳注を付けるものである。私たちもそのつもりでいたのだが、出所不明なものについて著者に問い合わせたところ、そんなかたちの注は付けないでもらいたいという返事がきた。つまり、引用文の出典を一々気にしながら読むような本にはしてもらいたくないということなのである。そこで、著者の意を汲んで、日本人の読者にどうしても必要だと思われる少数の注（本文中に〔　〕内で入れた注）を除いて、訳注はいっさい付けないことにした。しかし、フランス人と日本人とでは当然常識の範囲にズレがあるので、それを補うために原書にはない人名索引を付け、そこに簡単な説明をくわえた。

上記のような指示からも、著者が〈哲学〉をどんなふうに考えようとしているかがうかがわれよう。専門家のあいだでしか通用しないような衒学的な思弁はいっさい排して、〈哲学〉をあくまで生きるための知恵として見ようとするその姿勢はまことに思いきったものである。彼はあるインタヴュー（『愛の哲学、孤独の哲学』紀伊國屋書店、所収）でこんなふうに言っている。

正直に言おうか。哲学なんかたいしたものじゃない。小説もそうだ。大切なのは友情だけであり、愛だけだ。もっと適切な言いかたをしよう。大切なのは愛と孤独だけなんだ。さらに言えば、大切なのは生きることだけだ。

これを読んだときは驚いた。それはそうかもしれないが、ここまで言うかと、その思いきりのよさに驚かされたのである。こうした姿勢からの当然の帰結だが、同じインタヴューで「哲学とはなにか」と問われたときも、彼はこう答えている。哲学とは「生きることを主題とし、理性を手段とし、幸福を目標としていとなまれるひとつの言語的実践」であり、「幸福と真理への愛」であり、哲学するとは「自分の人生を考え、その考えにしたがって生きることだ」と。

この『哲学はこんなふうに』の原書の裏表紙にも「序文」の次のくだりがモットーのように掲げられている。

あらゆる哲学は闘いだ。その武器は？　理性。その敵は？　愚かさや狂信、蒙昧主義。その盟友は？　もろもろの科学。その対象は？　万物、ただし人間をふくめての。あるいは、人間、ただし万物のうちにあるかぎりでの。その目標は？　叡智ないし幸福。だが、真理のうちにある叡智であり、幸福だ。……

実に率直で簡明な定義である。だが、二十世紀後半にあれほど批判の俎上にのせられた〈人間〉や〈理性〉や〈真理〉を、いまどきこんなに堂々と持ち出してくるのに驚かれる方もいよう。私も当初とまどいを感じないではなかった。

だが、第二次大戦後に生まれ、「一九六〇年代に哲学の勉強をはじめた世代」に属するこのアンドレ・コント＝スポンヴィルや、リュック・フェリー、アラン・ルノーといった哲学者たちは、二十世紀後半を、特に一九六八年の〈五月革命〉以降を領導したフランスの思想家たち、ミシェル・フーコー、ジル・ドゥルーズ、ジャック・デリダ、ルイ・アルチュセール、ジャック・ラカンらの思想を〈68年の思想〉と呼んで、その〈反－人間主義〉に果敢な批判をくわえる。これら68年の思想家は、ニーチェ、フロイト、ハイデガーといったドイツの哲学者の思想を「誇張して反復した」にすぎないと見るのである。

たしかにニーチェやハイデガーは、自然を制作のたんなる素材に貶めたプラトン以来の西洋二千五百年に及ぶ文化形成を批判し、その制作の主体である人間を形而上学的(超自然的)原理の座に据えようとしてきた近代人間主義《ヒューマニズム》に烈しい攻撃をくわえた。フロイトもふくめてこれらドイツの哲学者たちは、そうした〈人間〉の解体を企てたのであり、68年のフランスの思想家たちもその〈反－人間主義〉〈ニーチェ主義〉を誇張したかたちで継承したと見ることはできそうである。コント＝スポンヴィルやフェリー、ルノーらはそのゆきすぎを糾そうというのだろう。このあたりのフランス思想界内部の軌轢については、リュック・フェリー／アラン・ルノー『68年の思想――現代の反－人間主義への批判』（一九八五年、小野潮訳、法政大学出版局）や、同じフェリー／ルノーの編集した論文集『反ニーチェ──なぜわれわれはニーチェ主義者ではないのか』（一九九一年、遠藤文彦訳、法政大学出版局）がくわしい。後者の論文集は、コント＝スポンヴィルの発案でつくられたものであり、むろん彼も寄稿している。

もっとも、〈68年の思想〉や〈ニーチェ主義〉に対する批判の帰趨もけっして一定していたわけではなく、後者の論文集の寄稿者たちも、その後はそれぞれの道を進んだということのようだが、そのなかにあってコント＝スポンヴィルは、モラリスト復権の道を選んだということではなかろうか。

フランスには、多少シニカルな、だが明晰な文章で人生への省察を書き綴るモラリストの伝統がある。モンテーニュやラ・ロシュフーコー、パスカル、シャンフォール、ヴォーヴナルグといったひとたちがそうである。コント＝スポンヴィルは、そこにエピクロスやスピノザやシモーヌ・ヴェイユ、さらには幾人かの東洋の思想家もくわえたもっと広いモラリストの伝統を考え、自分もその系譜につらなろうとしているようにも思われる。その姿勢が本書にはよくうかがわれる。

はじめにふれたように、この本は「序文」につづいて、〈道徳〉〈政治〉〈愛〉〈死〉〈認識〉〈自由〉〈神〉〈無神論〉〈芸術〉〈時間〉〈人間〉〈叡智〉を論じた十二の章から成っている。いずれもが日常の市民生活のなかでいつかは〈……とはなにか〉というかたちで問わざるをえないことになるテーマである。コント＝スポンヴィルはこれらのテーマを、そうした生活の枠内で――が、けっして常識の枠内ではない――論理的に追求してみせる。生きるための哲学的思索のみごとな模範を示してみせるのである。

私自身は〈哲学〉というものについてもう少しややこしい考え方をしているし、いわゆるニーチェ主義者のたぐいかもしれないが、コント＝スポンヴィルのこうした哲学観を否定しようとは思わないし、少し羨ましくさえある。ある成りゆきでこの翻訳にくわわることになったが、得がたい機会に恵まれたと思っている。

アンドレ・コント＝スポンヴィルは、一九五二年の生まれ、高等師範学校《エコル・ノルマル・シュペリユール》を出て、哲学の教授資格試験《アグレガシオン》に合格、いまはパリ第Ⅰ大学（パンテオン・ソルボンヌ）で教えている。『絶望と至福についての試論』（一九八四、八八年）、『ある哲学教育』（一九八九年）、『価値と真理（シニカルな試論）』（一九九四年）などの著書があり、邦訳も『ささやかながら、徳について』（一九九五年）、インタヴュー集『愛の哲学、孤独の哲学』（一九九五年）につづいて、これで三冊目である。

この訳書は、小須田とカンタンが協力して作った訳稿を、木田が原文と照合しながら検討して成ったものであり、翻訳の最終的な責任は木田にある。

原書では、一章に何箇所か一行空けて段落が切られているだけであるが、この訳書では、読者の便宜をはかって、そこに小見出しを付けた。

付録として付けられた「文献案内」「入門書案内」について一言しておきたい。「文献案内」の方は、邦訳のないものがかなりふくまれているということを除けばあまり問題がないが、「入門書案内」の方は、挙げられている本のほとんどが邦訳のないものばかりである。これを訳出してもあまり意味がないかとも思ったが、しかしフランスの研究者たちがどういう本を評価しているかを知る上では興味深い。今後それぞれの分野で翻訳をしたりする際の目安になるかと思い、そのまま訳出した。だが、これは一般読者の参考にはほとんどならないので、出版社の要望もあり、日本語で読める「入門書」の案内を小須田が別につくって付けることにした。

思いのほか時間がかかってしまったこの翻訳に伴走してくれた紀伊國屋書店出版部の矢内裕子さん、それに出産・育児のため休職された矢内さんの後を引き継いで刊行にまでこぎつけてくれた藤﨑寛之さんに厚くお礼を申し上げたい。

二〇〇二年八月八日

木田　元

文庫版訳者あとがき

木田元先生はとても明快な考えかたをされるひとだった。西洋哲学を専攻しようというのであれば、原書が原語で読めなければならない。そのために、大学での講義や演習とは別に、何十年にもわたって個人的な読書会を院生たちのために催してくださった。だいたいにおいて、その当時出版されたばかりのハイデガーの講義録がテクストに採りあげられていた。ハイデガーの講義の多くは、過去の哲学者の著作の注釈というスタイルをとっており、当然古代ギリシアや近代のラテン語の文章もそのまま引用されている。それを毎週読むのは、当たりまえだがとても勉強になった。そこで何年か当番を務めると、つぎは翻訳のお手伝いだ。

その過程で先生に紹介いただいたのが、アンドレ・コント＝スポンヴィルの翻訳だった。これがそののちしばらくつづく紀伊國屋書店からのコント＝スポンヴィルの一連の翻訳のはじまりとなった。ただ、その最初の時点で先生は、今度の仕事は現代フランスの事情に通じているオブザーバーが必要だとお考えになり、その縁でご紹介いただいたのが、コリーヌ・カンタンさんだった。

当初は先輩の中村昇先生と私が下訳を用意し、それをカンタンさんに一文ずつチェックしていただくかたちで仕事は進められ、そのスタイルがそれ以降も踏襲されることとなった。カンタンさんもお忙しいのに、仕事の傍らをぬってお時間を割いていただき、当時の事務所にはかなりの頻度でお邪魔させていただいた覚えがある。なによりも驚かされたのが、カンタンさんの日本語力の高さだった。それなりに専門的なややこしい話でも十分理解され、そればかりかときとして私たちのそれよりもはるかに素晴らしい訳文をその場で提示いただくこともしばしばだった。フランス語の文法レベルでの注意をたくさんいただいたのは当然だが、この数十年のフランスのさまざまな国内事情についてもご教示をいただけたのは、本当に貴重な経験であった。それによって、何気なく書かれているように見えるスポンヴィルの文章の背景にあったものが鮮やかに浮かびあがってくることもしばしばだった。

最初に担当させていただいた『ささやかながら、徳について』がそれなりに好評だったのか、さらにつづけてスポンヴィルの翻訳を何冊か担当させてもらえることとなった。だが、途中から中村先生がお忙しくなり、もっぱら私とカンタンさんの二人で翻訳にあたるようになったが、そのなかで木田先生が名前を連ねていただくかたちで取りくむことのできた一冊が、今回の『哲学はこんなふうに』だ。

すでに述べたように、私の最初の訳文はカンタンさんとの打ちあわせの過程で徹底的に修正される。それをプリントアウトしたものを木田先生にみていただいたのだが、そこでも徹底して修正のアカがくわわる。こうして跡形もなくなったものが、最終的に本になる。先生に手をいれていただいた原稿はいまも大事に手元に保管してある。それ以降もおりにふれて、先生がどんなふうに文章に手をいれられるのか、一文いちぶんだけでなく、連なりとして読んだばあいに、文体にリズムを付与するにはなにに留意すべきかなど、読みなおすたびに教えられるところが大だ。

著作の内容については、すでに訳者あとがきで懇切丁寧な解説がなされていることもあり、とくに付言することはない。哲学の入門書としては、いまなおあまり類書のないオリジナリティをそなえていると思う。以前に別のところで、哲学の入門書には通時的なものと共時的なものがあるということを述べた。つまり、古代ギリシアにおける哲学の誕生から現代にまでいたる歴史をたどるというスタイルと、さまざまなテーマを設定したうえでそれぞれについて過去現代を問わず幾人かの哲学者たちの見解をまとめるというスタイルとだ。言うまでもなく、本書は後者のスタイルを採用しており、しかも個々のテーマについて、たんにあれこれの哲学者の見解を紹介しているというにとどまらず、一貫して著者の見解がしっかり主張されている点が見事だ。

著者の執筆意欲はその後も旺盛で、いまなお意欲的な作品がいくつも刊行されている。たとえば、*Du corps*, PUF, 2009 は魂が主題でありながら、「心身の合一」を説くスピノザにならって「身体」をタイトルに冠し、*Du tragique au matérialisme (et retour)*, PUF, 2018 は、悲劇と唯物論という観点からそれまでにない哲学史をたどった力作だ。さらには、アランの『プロポ』の現代版と言いうるものとして、*Le goût de vivre*, Albin Michel, 2010 と *Contre la peur*, Albin Michel, 2019 が公刊されている。それらも大変興味深いものなのだが、あらためて思うのは、このひとは若いころから一貫した思想をもっていたのだということだ。処女作である『絶望と至福についての試論』は、二巻本の大作だったが、その後の彼の展開の基本的な萌芽はすでにこのなかに認められる。機会があれば、そちらも紹介したいところだ。

今回の仕事にあたり、編集部の藤﨑寛之さんには紀伊國屋時代に引きつづき大変お世話になった。ここに一言謝意を表したい。

二〇二二年一〇月一日

訳者を代表して　小須田健

文献目録

入門書にすぎないこの小著に、ページごとに脚注をいれていると、数もばかにならないし、不必要に全体が重たくなるだけなので、それは断念した。各章ごとにぼくが引用し、参考にした、あるいは考察を深めるうえで不可欠だと思われた著作のほとんどは、以下の文献目録に挙げておいた。これは、文献目録というよりは、読むことをお勧めしたい著作のリストだ。引用した版は、目安にすぎない（できるかぎり、新書や文庫サイズで入手できるものを挙げておいた）。もっとも読みやすく、最初に読むのが望ましいと思われる著作には、星印〔☆〕をつけておいた。それにたいして、黒い星印〔★〕をつけた著作は、読むのに骨が折れるから後回しにしたほうがよい。それ以外のとくに星印のついていない著作の難易度は、中間くらいだ。言うまでもないことだが、こうした区別はいささかも質的な序列づけではない。傑作には明晰なものもあれば、恐ろしく難解なものもある——そして、晦渋なだけで傑作の名に値しない著作だってある（この目録のなかにはないが）……。いずれにせよ、哲学書を読むには、それなりの努力が必要だ。だからといって、哲学書を読むことが楽しくないわけではない。ただ、哲学においては、喜びと努力は一緒になるものなのだ。〔邦訳が複数あるばあいは、一般読者にとって活用しやすいと思われるものをひとつだけ掲載した。邦訳のないものもすくなくない。〕

序文

プラトン『ソクラテスの弁明・クリトン』久保勉訳、岩波文庫（☆）
エピクロス『エピクロス――教説と手紙』出隆・岩崎允胤訳、岩波文庫
マルクス・アウレリウス『自省録』神谷美恵子訳、岩波文庫
モンテーニュ『エセー』原二郎訳、岩波文庫（学生には第三巻から読みはじめることをお勧めする……）
デカルト『方法序説』谷川多佳子訳、岩波文庫（☆）
パスカル『パンセ』前田陽一・由木康訳、中公文庫（☆）
スピノザ『知性改善論』畠中尚志訳、岩波文庫
カント *Opus postumum*〔『オプス・ポストゥム』〕, trad. J. -P. Lefebvre, Aubier, 1991.（★）（「啓蒙とは何か」中山元訳、『永遠平和のために／啓蒙とは何か　他3編』光文社古典新訳文庫をも参照）
ヘーゲル『精神現象学』長谷川宏訳、作品社（★）
ニーチェ『悦ばしき知識』信太正三訳『ニーチェ全集』第八巻、ちくま学芸文庫
アラン『精神と情熱とに関する八十一章』小林秀雄訳、東京創元社（☆）
アンドレ・コント＝スポンヴィル *Une éducation philosophique*〔『ある哲学教育』〕, PUF, 1989.（『愛の哲学、孤独の哲学』中村昇・小須田健・コリーヌ・カンタン訳、紀伊國屋書店（☆）をも参照）
ジル・ドゥルーズ＋フェリックス・ガタリ『哲学とは何か』財津理訳、河出書房新社（★）

ピエール・アド *Qu'est-ce que la philosophie antique?*〔『古代哲学とはなにか』〕, Gallimard, coll. 《Folio-Essais》, 1995.

ミシェル・メイエール *Qu'est-ce que la philosophie?*〔『哲学とはなにか』〕, Le Livre de Poche, 1977.

ジャン＝ピエール・ファイ *Qu'est-ce que la philosophie?*〔『哲学とはなにか』〕, Armand Colin, 1997.

ドミニク・ルクール《Qu'est-ce donc que la philosophie?》〔「いったい哲学とはなにか」〕, dans *Déclarer la philosophie*〔『哲学の宣言』〕, PUF, 1997.

リュック・フェリー＋アラン・ルノー *Philosopher à 18ans*〔『十八歳で哲学すること』〕, Grasset, 1999.

マルセル・コンシュ *Le sens de la philosophie*〔『哲学の意味』〕, Encre marine, 1999.

第一章　道徳

プラトン『国家』藤沢令夫訳、岩波文庫（とくに、第二巻と第十巻）

アリストテレス『ニコマコス倫理学』高田三郎訳、岩波文庫

エピクテートス『人生談義』鹿野治助訳、岩波文庫（☆）

スピノザ『エチカ』畠中尚志訳、岩波文庫（★）

ルソー『人間不平等起原論』小林善彦訳、中公文庫（☆）

ヒューム『道徳原理の研究』渡部峻明訳、哲書房

カント『道徳形而上学原論』篠田英雄訳、岩波文庫。道徳と宗教の関係については、『たん

なる理性の限界内における宗教』（とくに第一版の序文）飯島宗享・宇都宮芳明訳『カント全集』第九巻、理想社をも参照。
ショーペンハウアー『倫理学の二つの根本問題』前田敬作・芦津丈夫・今村孝訳『ショーペンハウアー全集』第九巻、白水社
ミル『功利主義』関口正司訳、岩波文庫
ニーチェ『道徳の系譜』木場深定訳、岩波文庫
ウィトゲンシュタイン「倫理学講話」杖下隆英訳『ウィトゲンシュタイン全集』第五巻、大修館書店
サルトル『倫理学ノート』鈴木道彦解説抄訳、中央公論社
フーコー『性の歴史Ⅲ　自己への配慮』田村俶訳、新潮社
レヴィナス『倫理と無限——フィリップ・ネモとの対話』西山雄二訳、ちくま学芸文庫
ジャンケレヴィッチ『徳について』仲澤紀雄訳、国文社
ヨナス『責任という原理——科学技術文明のための倫理学の試み』加藤尚武監訳、東信堂
リクール『他者のような自己自身』久米博訳、法政大学出版局（とりわけ第七研究から第九研究を参照）（★）
マルセル・コンシュ *Le fondement de la morale*〔『道徳の基礎』〕, rééd. PUF, 1993.
コント＝スポンヴィル『ささやかながら、徳について』中村昇・小須田健・コリーヌ・カンタン訳、紀伊國屋書店（☆）
モニク・カント＝スペルベル（監修）*Dictionnaire d'éthique et de philosophie morale*〔『倫理および道徳哲学辞典』〕, PUF, 1996.

第二章 政治

プラトン『国家』藤沢令夫訳、岩波文庫
アリストテレス『政治学』山本光雄訳、岩波文庫
マキャヴェリ『君主論』池田廉訳、中公文庫（☆）
ラ・ボエシー『自発的隷従論』山上浩嗣訳、西谷修監修、ちくま学芸文庫（☆）
モンテーニュ「有利なことと正しいことについて」『エセー』第三巻第一章、原二郎訳、岩波文庫
ホッブズ『リヴァイアサン』水田洋訳、岩波文庫
パスカル *Pensées sur la politique*〔『政治思想論』〕, textes choisis et présentés par André Comte-Sponville, Rivages Poche, 1992.（☆）
スピノザ『国家論』畠中尚志訳、岩波文庫
ロック『統治二論』加藤節訳、岩波文庫
モンテスキュー『法の精神』野田良之・稲本洋之助・上原行雄・田中治男・三辺博之・横田地弘訳、岩波文庫
ルソー『社会契約論』平岡昇・根岸国考訳、角川文庫
カント『歴史哲学論集』小倉志祥訳『カント全集』第十三巻、理想社
ヘーゲル『法哲学講義』長谷川宏訳、作品社（★）
コンスタン *Principes de politique*〔『政治原理』〕, Hachette, coll.《Pluriel》, 1997.
トクヴィル『アメリカの民主政治』井伊玄太郎訳、講談社学術文庫

マルクス＋エンゲルス『共産主義者宣言』金塚貞文訳、平凡社ライブラリー（☆）
アラン *Propos sur les pouvoirs*〔『権力について』〕, Gallimard, coll.《Folio-Essais》, 1985.（☆）
ウェーバー『職業としての政治』脇圭平訳、岩波文庫
ロールズ『正義論（改訂版）』川本隆史・福間聡・神島裕子訳、紀伊國屋書店
カミュ『反抗的人間』佐藤朔訳、新潮文庫（☆）
レジス・ドゥブレ *Critique de la raison politique*〔『政治的理性批判』〕, Gallimard, 1981. 共和制と民主制とのちがいにかんしては、*Contretemps, Éloges des idéaux perdus*〔『時期外れ――失われた理念をたたえて』〕, Gallimard, coll.《Folio-actuel》, 1992. の第1巻をも参照されたい。
ポパー『開かれた社会とその敵』小河原誠・内田詔夫訳、未來社
フィリップ・レノー＋ステファヌ・リアルス監修 *Dictionnaire de philosophie politique*〔『政治哲学辞典』〕, PUF, 1996.
アラン・ルノー監修 *Histoire de la philosophie politique*〔『政治哲学史』〕, Calmann-Lévy, 1999.

第三章　愛

プラトン『饗宴』中澤務訳、光文社古典新訳文庫（『パイドロス』藤沢令夫訳、岩波文庫をも参照されたい）（☆）
アリストテレス『ニコマコス倫理学』高田三郎訳、岩波文庫（『エウデモス倫理学』茂手木元蔵訳『アリストテレス全集』第十四巻、岩波書店および『弁論術』戸塚七郎訳、岩波文庫、第二巻第四章をも参照されたい）

モンテーニュ『エセー』（とりわけ第一巻第二十八章）原二郎訳、岩波文庫
デカルト『情念論』野田又夫訳、中公文庫
スピノザ『エチカ』畠中尚志訳、岩波文庫（★）
ショーペンハウアー「性愛の形而上学」有田潤・塩谷竹男訳『意志と表象としての世界・第四巻』の補遺『ショーペンハウアー全集』第七巻、白水社
ジンメル『愛について』土肥美夫・堀田輝明訳『ジンメル著作集』第十一巻、白水社
フロイト「文化への不満」中山元訳、『幻想の未来／文化への不満』光文社古典新訳文庫
アラン *Les sentiments familiaux*〔『家族的思いやり』〕, in *Les passions et la sagesse*〔『情熱と叡智』〕, Gallimard, coll.《Bibliothèque de la Pléiade》, 1960.
シモーヌ・ヴェイユ『重力と恩寵』田辺保訳、ちくま学芸文庫（☆）
ドニ・ド・ルージュモン『愛について』鈴木健郎・川村克己訳、平凡社ライブラリー（☆）
ジャンケレヴィッチ『徳について』仲澤紀雄訳、国文社
コント＝スポンヴィル『愛の哲学、孤独の哲学』中村昇・小須田健・コリーヌ・カンタン訳、紀伊國屋書店（『ささやかながら、徳について』中村昇・小須田健・コリーヌ・カンタン訳、紀伊國屋書店（☆）をも参照されたい）（☆）
マルセル・コンシュ *Analyse de l'amour et autres sujets*〔『愛とそのほかの主題についての分析』〕, PUF, 1997（*Le sens de la philosophie*〔『哲学の意味』〕, Encre marine, 1999. をも参照されたい）

第四章　死

プラトン『パイドン』納富信留訳、光文社古典新訳文庫（☆）
エピクロス『エピクロス――教説と手紙』出隆・岩崎允胤訳、岩波文庫（☆）
ルクレティウス『物の本質について』（第三巻）樋口勝彦訳、岩波文庫
セネカ『道徳書簡集』茂手木元蔵訳、東海大学出版会
マルクス・アウレリウス『自省録』神谷美恵子訳、岩波文庫（☆）
モンテーニュ『エセー』（とりわけ第一巻第二十章と第三巻第九章）原二郎訳、岩波文庫
パスカル『パンセ』前田陽一・由木康訳、中公文庫（☆）
フロイト「快感原則の彼岸」中山元訳『自我論集』ちくま学芸文庫、および「戦争と死に関する時評」中山元訳『人はなぜ戦争をするのか』光文社古典新訳文庫
ジャンケレヴィッチ『死』仲澤紀雄訳、みすず書房
マルセル・コンシュ《La mort et la pensée》〔「死と思想」〕, in *Orientation philosophique*〔『哲学入門』〕, PUF, 1990.
フランソワズ・ダストゥール *La mort, Essai sur la finitude*〔『死――有限性についての試論』〕, Hatier, coll.《Optiques Philosophie》, 1994.（*Comment vivre avec la mort?*〔『どのように死と向きあって生きるか』〕, Pleins Feux, 1998. をも参照されたい）
ヴァンサン・コルドニエ *La mort*〔『死』〕, Quintette, 1995.（☆）

第五章　認識

プラトン『国家』藤沢令夫訳、岩波文庫
モンテーニュ「レイモン・スボン弁護」『エセー』第二巻第十二章、原二郎訳、岩波文庫
デカルト『方法序説』谷川多佳子訳、岩波文庫（☆）
パスカル「幾何学的精神について」前田陽一・由木康訳『世界の名著』第二十九巻、中央公論新社（☆）
スピノザ『知性改善論』畠中尚志訳、岩波文庫
ロック『人間知性論』大槻春彦訳、岩波文庫
ライプニッツ『人間知性新論』米山優訳、みすず書房
ヒューム『人間知性の研究』渡部峻明訳、晢書房（もっとも近づきやすいのが本書であるが、ヒュームの主著といえば、やはり『人性論』大槻春彦訳、岩波文庫だ）
カント『純粋理性批判』中山元訳、光文社古典新訳文庫。さらに、小論ではあるが、「啓蒙とは何か」中山元訳、『永遠平和のために／啓蒙とは何か 他3編』光文社古典新訳文庫をも参照されたい。
ニーチェ『喜ばしき知恵』村井則夫訳、河出文庫
ハイデガー『真理の本質について・プラトンの真理論』木場深定訳、理想社
アラン *Entretiens au bord de la mer*〔『海辺の対話』〕, Gallimard, 1949, rééd. coll.《Folio-Essais》, 1998.（☆）
バシュラール『科学的精神の形成』及川馥・小井戸光彦訳、国文社（*L'activité rationaliste de la physique contemporaine*〔『現代物理学の合理主義的活動』〕の第一章をも参照されたい）
ポパー『科学的発見の論理』森博・大内義一訳、恒星社厚生閣

コント＝スポンヴィル *Valeur et vérité*（*Études cyniques*）〔『価値と真理（シニカルな試論）』〕, PUF, 1994.
フランシス・ヴォルフ *Dire le monde*〔『世界を語る』〕, PUF, 1997.（★）
パスカル・エンゲル *La vérité, Réflexion sur quelques truisms*〔『真理――いくつかの自明の理にかんする省察』〕, Hatier, coll.《Optiques Philosophie》, 1998.
ジャン＝ミシェル・ベニエ *Les théories de la connaissance*〔『認識論』〕, Flammarion, 1996.
ドミニク・ルクール監修 *Dictionnaire d'histoire des sciences*〔『科学史辞典』〕, PUF, 1999.

第六章　自由

プラトン『国家』藤沢令夫訳、岩波文庫（エルビウムの神話は第十巻にある）
アリストテレス『ニコマコス倫理学』高田三郎訳、岩波文庫
エピクテートス『人生談義』鹿野治助訳、岩波文庫（☆）
ホッブズ『市民論』本田裕志訳、京都大学学術出版会
デカルト『書簡集』佐藤正彰・川口篤・渡辺一夫・市原豊太・河盛好蔵訳『デカルト選集』第五巻および第六巻、創元社
スピノザ『スピノザ往復書簡集』畠中尚志訳、岩波文庫（『エチカ』第一部の付録をも参照されたい）
ライプニッツ『弁神論』佐々木能章訳『ライプニッツ著作集』第六巻および第七巻、工作舎
ヴォルテール『哲学辞典』高橋安光訳、法政大学出版局（☆）
カント『実践理性批判』中山元訳、光文社古典新訳文庫（★）

ショーペンハウアー「意志の自由について」『倫理学の二つの根本問題』前田敬作・芦津丈夫・今村孝訳『ショーペンハウアー全集』第九巻、白水社
ベルクソン『時間と自由』中村文郎訳、岩波文庫
アラン『わが思索のあと』田島節夫訳『アラン著作集』第十巻、白水社（☆）
サルトル「デカルトの自由」野田又夫訳『シチュアシオンⅠ』人文書院（☆）およびとりわけ『存在と無』松浪信三郎訳、人文書院（★）（『実存主義とは何か』伊吹武彦・海老坂武他訳、人文書院をも参照されたい）
マルセル・コンシュ *L'aléatoire*〔『不確かなもの』〕, rééd. PUF, 1999.
ポパー＋クロイツァー『開かれた社会──開かれた宇宙』小河原誠訳、未來社

第七章　神

アリストテレス『形而上学』出隆訳、岩波文庫（とりわけ第十二巻を参照されたい）（★）
デカルト『省察』山田弘明訳、ちくま学芸文庫（☆）
スピノザ『エチカ』畠中尚志訳、岩波文庫（★）
パスカル『パンセ』前田陽一・由木康訳、中公文庫（☆）
マルブランシュ *Conversations chrétiennes*〔『キリスト教的会話』〕, Gallimard, coll.《Folio-Essais》, 1994.
ライプニッツ『単子論』河野与一訳、岩波文庫（★）および『形而上学叙説』河野与一訳、岩波文庫（★）（これらの二冊は、哲学史にかんするもっとも完璧な主著の一部だ）。『弁神論』佐々木能章訳『ライプニッツ著作集』第六巻および第七巻、工作舎をも参照

されたい。

ヒューム『自然宗教に関する対話』福鎌忠恕・斎藤繁雄訳、法政大学出版局

ルソー「サヴォワの助任司祭の信仰告白」『エミール』第四編、今野一雄訳、岩波文庫（☆）

カント『純粋理性批判』（超越論的弁証論第二編第三章「純粋理性の理想」中山元訳、光文社古典新訳文庫第六巻）（★）『たんなる理性の限界内における宗教』飯島宗亨・宇都宮芳明訳『カント全集』第九巻、理想社をも参照されたい。

キルケゴール『おそれとおののき』桝田啓三郎訳『世界の大思想』二四、河出書房新社

ベルクソン『道徳と宗教の二源泉』平山高次訳、岩波文庫

アラン『神々』井沢義雄訳、彌生書房（この最終部《Christophore》は、ぼくの知るかぎりキリスト教についてのもっとも美しい著述だ）（☆）

ハイデガー『同一性と差異性』大江精志郎訳、理想社（『根拠律』辻村公一・ハルトムート・ブフナー訳、創文社をも参照されたい）

ウィトゲンシュタイン『反哲学的断章』丘沢静也訳、青土社

ヴェイユ『神を待ちのぞむ』田辺保・杉山毅訳、勁草書房

レヴィナス『観念に到来する神について』内田樹訳、国文社

マリオン『存在なき神』永井晋・中島盛夫訳、法政大学出版局

ベルナール・セーヴ *La question philosophique de l'existence de Dieu*〔『神の存在についての哲学的問い』〕, PUF, 1994.

第八章　無神論

ルクレティウス『物の本質について』樋口勝彦訳、岩波文庫
ヒューム『自然宗教に関する対話』福鎌忠恕・斎藤繁雄訳、法政大学出版局
ディドロ「哲学者とある元帥夫人との対話」杉捷夫訳『ディドロ著作集』第一巻、法政大学出版局
ドルバック *Le bon sens*〔『良識』〕, Éditions rationalistes, 1971.
フォイエルバッハ『キリスト教の本質』船山信一訳、岩波文庫
ショーペンハウアー「宗教について」秋山英夫訳『ショーペンハウアー全集』第十三巻、白水社
マルクス＋エンゲルス *Sur la religion*〔『宗教について』〕, textes choisis, traduits et annotés par G. Badia, P. Bange et É. Bottigelli, Éditions sociales, 1968.
ニーチェ『喜ばしき知恵』村井則夫訳、河出文庫（『反キリスト者』原祐訳『ニーチェ全集』第十四巻、ちくま学芸文庫をも参照されたい）
フロイト「幻想の未来」中山元訳、『幻想の未来／文化への不満』光文社古典新訳文庫
アラン『宗教論』渡辺秀訳『アラン著作集』第九巻、白水社（☆）
サルトル『実存主義とは何か』伊吹武彦・海老坂武他訳、人文書院（☆）
カミュ『シーシュポスの神話』清水徹訳、新潮文庫（☆）
マルセル・コンシュ *Orientation philosophique*〔『哲学入門』〕, PUF, 1990.
ロベール・ジョリ *Dieu vous interpelle? Moi,il m'évite....*（*Les raisons de l'incroyance*）〔『神はきみたちに呼びかけているのだろうか。ぼくは避けられているようだ（不信心の理由）』〕, Espace de libertés, Bruxelles, Éditions EPO, 2000.

第九章　芸術

アリストテレス『弁論術』戸塚七郎訳、岩波文庫

ディドロ *Œuvres esthétiques*〔『美学論集』〕, Laffont, coll.《Bouquins》, 1996.（☆）

カント『判断力批判』（とりわけ第一部）熊野純彦訳、作品社（★）

ショーペンハウアー『意志と表象としての世界』（とりわけ第三巻）斎藤忍随・笹谷満・山崎庸佑・加藤尚武・茅野良男訳、白水社

ヘーゲル『美学講義』長谷川宏訳、作品社

シェリング *Textes esthétiques*〔『美学論集』〕, trad. A. Pernet, Klincksieck, 1978.

ニーチェ『悲劇の誕生』秋山英夫訳、岩波文庫

アラン『諸芸術の体系』桑原武夫訳、岩波書店

ハイデガー『芸術作品の起源』茅野良男・ハンス・ブロッカルト訳『杣道』創文社

ジャン・ラコスト *La philosophie de l'art*〔『芸術哲学』〕, PUF, coll.《Que sais-je?》, rééd. 1988.（☆）

リュック・フェリー『ホモ・エステティクス——民主主義の時代における趣味の発明』小野康男・上村博・三小田祥久訳、法政大学出版局、*Le sens du beau*〔『美的センス』〕（☆）, Le Cercle d'Art, 1998.

ミシェル・アール *L'œuvre d'art, Essai sur l'ontologie des œuvres*〔『芸術作品——作品の存在論の試み』〕, Hatier, coll.《Optiques Philosophie》, 1994.

ルネ・ブーヴェルス *L'expérience esthétique*〔『美的経験』〕, Armand Colin, 1998.

第十章　時間

アリストテレス『自然学』（第四章）出隆・岩崎允胤訳『アリストテレス全集』第三巻、岩波書店（★）
プロティノス『エンネアデス』第三巻第七章（「時間の永遠性について」）田中美知太郎訳『世界の名著』第十五巻、中央公論新社
聖アウグスティヌス『告白』服部英次郎訳、岩波文庫（☆）
カント『純粋理性批判』中山元訳、光文社古典新訳文庫（★）
ベルクソン『物質と記憶』杉山直樹訳、講談社学術文庫
フッサール『内的時間意識の現象学』立松弘孝訳、みすず書房
ハイデガー『存在と時間』細谷貞雄訳、ちくま学芸文庫（数種類の翻訳があるが、それとは別に、フランソワ・ダストゥールによるすばらしい小著 *Heidegger et la question du temps*〔『ハイデガーと時間の問い』〕, PUF, 1990. を挙げておこう）（★）
バシュラール『瞬間の直観』掛下栄一郎訳、紀伊國屋書店
メルロ＝ポンティ『知覚の現象学』（とりわけ第三部第二章）竹内芳郎・小木貞孝・宮本忠雄・木田元訳、みすず書房
ヴィクトール・ゴールトシュミット *Le système stoïcien et l'idée de temps*〔『ストア哲学の体系と時間の観念』〕, Vrin, rééd. 1985.
マルセル・コンシュ *Temps et destin*〔『時間と運命』〕, 1980, rééd. PUF, 1992.
マルク・ヴェツェル *Le temps*〔『時間』〕, Quintette, 1990.

ニコラ・グリマルディ *Ontologie du temps*〔『時間の存在論』〕, PUF, 1993.

コント＝スポンヴィル *L'être-temps*〔『存在―時間』〕, PUF, 1999.

第十一章　人間

モンテーニュ『エセー』（第三巻から読みはじめるのをお勧めしておく）原二郎訳、岩波文庫

パスカル『パンセ』前田陽一・由木康訳、中公文庫（☆）

ヒューム『人性論』大槻春彦訳、岩波文庫（★）

ルソー『人間不平等起原論』小林善彦訳、中公文庫（☆）

カント「実際的見地における人間学」塚崎智訳『完訳・世界の大思想』第二巻、河出書房新社（★）

ハイデガー『「ヒューマニズム」について』渡邊二郎訳、ちくま学芸文庫

サルトル『実存主義とは何か』伊吹武彦・海老坂武他訳、人文書院（☆）

ボーヴォワール『第二の性』生島遼一訳、新潮文庫

レヴィ＝ストロース『野生の思考』（とりわけ第九章）大橋保夫訳、みすず書房

レヴィナス『他者のユマニスム』小林康夫訳、書肆風の薔薇

アルチュセール『マルクスのために』河野健二・田村俶・西川長夫訳、平凡社ライブラリー（「アミアンの口頭弁論」『マキャヴェリの孤独』福井和美訳、藤原書店をも参照されたい）

モラン『失われた範列』古田幸男訳、法政大学出版局

フーコー『言葉と物』渡辺一民・佐々木明訳、新潮社
ジャン＝ミシェル・ベニエ *L'humanisme déchiré*〔『引きさかれた人間主義』〕, Descartes&Cie, 1993.
リュック・フェリー『神に代わる人間――人生の意味』菊地昌実・白井成雄訳、法政大学出版局（☆）
コント＝スポンヴィル＋リュック・フェリー *La sagesse des Modernes*（*Dix questions pour notre temps*）〔『現代の叡智（現代にとっての十の問い）』〕, Robert Laffont, 1998, rééd. Pocket, 1999.
トドロフ『未完の菜園』内藤雅文訳、法政大学出版局
リュック・フェリー＋ジャン＝ディディエ・ヴァンサン *Qu'est-ce que l'homme?*（*Sur les fondamentaux de la biologie et de la philosophie*）〔『人間とはなにか（生物学と哲学の基礎について）』〕, Odile Jacob, 2000.

第十二章　叡智

プラトン『ピレボス』田中美知太郎訳『プラトン全集』第四巻、岩波書店
アリストテレス『ニコマコス倫理学』高田三郎訳、岩波文庫
『ソクラテス以前哲学者断片集』内山勝利編集、岩波書店
エピクロス『エピクロス――教説と手紙』出隆・岩崎允胤訳、岩波文庫（☆）
エピクテートス『人生談義』鹿野治助訳、岩波文庫（☆）
マルクス・アウレリウス『自省録』神谷美恵子訳、岩波文庫（☆）

モンテーニュ『エセー』（とりわけ第一巻第二六章と第三巻）原二郎訳、岩波文庫

スピノザ『エチカ』畠中尚志訳、岩波文庫（★）

ショーペンハウアー『哲学小品集』有田潤・金森誠也・生松敬三・木田元・大内惇・秋山英夫訳『ショーペンハウアー全集』第十巻から第十四巻、白水社（もちろん、彼の主著である『意志と表象としての世界』斎藤忍随・笹谷満・山崎庸佑・加藤尚武・茅野良男訳、白水社をも参照されたい）

ニーチェ『ツァラトゥストラはこう言った』氷上英廣訳、岩波文庫

アラン *Minerve ou de la sagesse*〔『ミネルヴァあるいは叡智について』〕, Gallimard, 1939.（☆）

カミュ『シーシュポスの神話』清水徹訳、新潮文庫（☆）

ピエール・アド *Exercices spirituels et philosophie antique*〔『霊的実践と古代哲学』〕, Études augustiniennes, rééd. 1987.

クレマン・ロセ *La force majeure*〔『不可抗力』〕, Éditions de Minuit, 1983.

マルセル・コンシュ *Orientation philosophique*〔『哲学入門』〕, rééd. PUF, 1990.

コント＝スポンヴィル *Traité du désespoir et de la béatitude*（tome 1, *Le mythe d'Icare*（☆）, tome 2, *Vivre*）〔『絶望と至福についての試論』（第一巻『イカロスの神話』、第二巻『生きる』）〕, PUF, 1984 et 1988.

ジャン＝ミシェル・ベニエ *Réflexions sur la sagesse*〔『叡智についての省察』〕, Le Pommier, 1999.

入門書案内

哲学は哲学史に尽きるものではない。だが、そうは言っても、哲学がそれ自身の過去と、つねに構成的で不可欠な関係を結んでいることに変わりはない。だからこそ、さまざまな著者のことを知る必要も出てくる。以下に入門書として役だつ若干の著作リストを挙げるが、それを参考にすれば、ぼくがもっとも偉大だと考え、まずは彼らについて知っておくことが絶対に欠かせないと考える幾人かの哲学者の著作をじっさいに読むことが、すこしは容易になるだろう。ここではとくに星印はつけなかった。偉大な著者たちへの入門書なのだから、あえてだれにでも近づける書物だけを採りあげることにした。なかには絶版中のものもある。そうした著作をも挙げておいたのは、第一に、図書館に行けばそれらを読むことは容易にできるし、第二に版元が、これをきっかけにもしかしたら再版しようという気になってくれるかもしれない――当てにならない話だが――という希望をもっているからだ……。

ソクラテス以前の哲学者たちについては、カテリーヌ・コロベール *Aux origines de la philosophie*〔『哲学のはじまりへ』〕, Le Pommier, 1999. を挙げておこう。

ソフィストたちについては、ジルベール・ローメイエール *Les Sophistes*〔『ソフィスト』〕, PUF, coll.《Quesais-je?》, 1985. を挙げておこう。

ソクラテスについては、フランシス・ヴォルフ *Socrate*〔『ソクラテス』〕, PUF, coll.《Philosophies》, 1985. を挙げておこう。

プラトンについては、アランの『イデー――哲学入門』（渡辺秀訳、白水社）におさめられた「プラトンについての十一章」が、なによりも重要な著作だ。これほどに個性的でも力強くもなく、そしてあきらかにずっと簡単な入門書をお望みの向きには、シャトレによる *Platon*〔『プラトン』〕（Gallimard, 1965, rééd. coll.《Folio-Essais》, 1989.）がお勧めだ。さらに深めたいひとには、レオン・ロバンの *Platon*〔『プラトン』〕, PUF, rééd. 1968. が役にたつだろう。

キニク学派については、もっともよいのは、レオンス・パケによるすばらしい選集 *Les Cyniques grecs, Fragments et témoignages*〔『ギリシアのキニク学派――断片と証言』〕, Éditions de l'Université d'Ottawa, rééd. Le Livre de Poche, 1992. を興味の向くままに読みすすめることだ。

アリストテレスについて言うなら、アリストテレスはおそらくカントと並んで、あらゆる時代をとおしてもっとも偉大な哲学者であり、――ぼくの趣味で言わせてもらえるなら、モンテーニュと並んで、もっとも人間的でもっとも親近感のもてる哲学者のひとりだ。手ごろな入門書が不可欠なのだが、残念なことに、真にその域に達している本をぼくは知らない。そうは言っても、ジョセフ・モローの著作（*Aristote et son école*〔『アリストテレスとアリストテレス学派』〕, PUF, 1962.）あるいはデヴィッド・ロスの著作（*Aristote*〔『アリストテレス』〕, trad. J. Samud, Gordon and Breach, 1971.）は、適切な全体像を提示しているし、ピエール・オーバンクの *La prudence chez Aristote*〔『アリストテレスにおける賢明さ』〕, PUF, 1963, rééd. coll.《Quadrige》, 1993. は、この哲学者の思想への――倫理を介しての――適切な入口を与えてくれる。

エピクロスと**エピクロス学派**については、最良のものはまちがいなく、マルセル・コンシ

ュの傑出した小著 *Lucrèce*〔『ルクレティウス』〕（Seghers, 1967, coll.《Philosophes de tous les temps》, rééd. Éditions de Mégare, 1990.）だろう。だが、じっさいにエピクロスそのひとの著作を読むに勝るものはない。それは、これまたマルセル・コンシュによってとてもみごとに翻訳され、注釈が付されたもので、*Épicure, Lettres et maximes*〔『エピクロス——書簡と箴言』〕, texte établi, traduit, présenté et annoté par M. Conche, rééd. PUF, 1987. だ。

ストア派については、おそらく最良の入門書として、マルクス・アウレリウスに的を絞ったものだが、ピエール・アドの *La citadelle intérieure*（*Introduction aux Pensées de Marc Aurèle*）〔『内面という要塞（マルクス・アウレリウスの思想へのいざない）』〕, Fayard, 1992. を挙げておく。

ピュロンについては、じっさいには入門書ではないのだが、読みやすくもあればよくできた著作として、マルセル・コンシュの *Pyrrhon ou l'apparence*〔『ピュロンあるいは仮象』〕, PUF, 1994. を挙げておく。

プロティノスについては、ピエール・アドの *Plotin ou la simplicité du regard*〔『プロティノスあるいは眼なざしの単純さ』〕, Études augustiniennes, 1989. を挙げておく。

アウグスティヌスについては、アンリ＝イレネー・マルの *Saint Augustin et l'augustinisme*〔『アウグスティヌスとアウグスティヌス主義』〕, Seuil, coll.《Maîtres spirituels》, 1955, réimpr. 1983. がある。そのつぎの段階のものとしては、エティエンヌ・ジルソンの大著 *Introduction à l'étude de saint Augustin*〔『アウグスティヌス研究序説』〕, Vrin, 1982. が類書のない参考書だ。

モンテーニュについて言うなら、哲学者としてのモンテーニュにかんしては、ぬきんでた最良の入門書として、マルセル・コンシュの *Montaigne ou la conscience heureuse*〔『モンテーニュあるいは幸福な意識』〕, Seghers, 1964, rééd. Éditions de Mégare, 1992. に勝るものはない。

ホッブズについては、入門書はとばして、直接に主著である『リヴァイアサン』にとりくむのがよいだろう。だが、入門書の域を越えているが、ミシェル・マレルブの *Thomas Hobbes*〔『トマス・ホッブズ』〕, Vrin, 1984. を頼りにすることもできる。

デカルトについては、入門書はとばして（あるいは『方法序説』が十分にその役割を果たしてくれることだろう）、明晰に書かれている主著である『省察』に直接に進むのがよいだろう。それでも、準備をしたいとお望みの向きには、ぼくの好みで言わせてもらえば、ピエール・ゲナンシアの二冊の小著、うち一冊はきわめて初歩的な *Descartes*（*Bien conduire sa raison*）〔『デカルト（理性を正しく導くこと）』〕, Gallimard, coll.《Découvertes》, 1966. と、もう一冊はもっと掘りさげられたものである *Descartes*〔『デカルト』〕, Bordas, coll.《Philosophie présente》, 1986. を挙げておく。最後に、ぼくが賞賛してやまないのは、アランの『デカルト』（桑原武夫・野田又夫訳、みすず書房）であることを付言しておく。

パスカルについては、どんな入門書も『パンセ』（前田陽一・由木康訳、中公文庫）の高みにはけっして達しえない。なんの準備もせず『パンセ』をじかに読むのがよいだろう。

スピノザについては、どうしても入門書が不可欠だ。ぼくがよいと思う著作は三冊ある。アランの『スピノザに倣いて』（神谷幹夫訳、平凡社）と、ピエール＝フランソワ・モローの *Spinoza*〔『スピノザ』〕, Seuil, coll.《Écrivains de toujours》, 1975. と、最後にドゥルーズの『スピノザ――実践の哲学』（鈴木雅大訳、平凡社）だ。ぼくの考えでは、最初のものはもっとも忠実であり、つぎのものはもっとも近づきやすく、最後のものはもっとも刺激的だ。

ロックについては、シモーヌ・ゴヤール＝ファブルの *John Locke et la raison raisonnable*

〔『ジョン・ロックと良識的な理性』〕, Vrin, 1986. あるいはイヴ・ミショーの *Locke*〔『ロック』〕, Bordas, 1986. を挙げておく。
ライプニッツについては、イヴォン・ベラヴァルの *Leibniz, Initiation à sa philosophie*〔『ライプニッツ――その哲学への入門』〕, rééd. Vrin, 1975. を挙げておく。
モンテスキューについては、アルチュセールの「モンテスキュー――政治と歴史」（『政治と歴史』西川長夫・阪上孝訳、紀伊國屋書店）を挙げておく。
ディドロについては、入門書は必要ないが、最初に読まれることをお勧めする著作として、ぼくの知るかぎりもっとも美しい哲学小説である『運命論者ジャックとその主人』（小場瀬卓三訳『世界文学大系』第十六巻、筑摩書房）を挙げておく。
ヒュームについては、ミシェル・マレルブの *La philosophie empiriste de David Hume*〔『デヴィッド・ヒュームの経験主義哲学』〕, Vrin, 1992. を挙げておく。
ルソーについては、入門書が必要だというなら、『告白』（桑原武夫訳、岩波文庫）を読むのがよいだろう。だがまた、もしかしたら『社会契約論』（平岡昇・根岸国考訳、角川文庫）か『人間不平等起原論』（小林善彦訳、中公文庫）からはじめるのが最善の道かもしれない。
カントについては、入門書はどうしても不可欠だ。だが、どれがいいのか？　フランス語で書かれたものでもっともよくできているのは、おそらくジャンヌ・エルシュの *L'étonnement philosophique, Une histoire de la philosophie*〔『哲学的驚き――ひとつの哲学史』〕, Gallimard, coll.《Folio-Essais》, rééd. 1993. のなかの「カント」の章だろう。個別の著作としては、ドゥルーズの『カントの批判哲学』（國分功一郎訳、ちくま学芸文庫）がつねにきわめて啓発的で、大変役にたつ。より社会的なアプローチとしては、ジャン・ラクロワの『カント哲学』(木田元・渡辺昭造訳、文庫クセジュ、白水社)や、ジョルジュ・パスカルの *Pour connaître la pensée de Kant*〔『カントの思想を知るために』〕, Bordas, 1966. がある。最後に、より深く理解するためには(だが、それはもはや入門の域を越えることになるが)、迷うところだが、エリック・ヴェイユの賞賛に値する *Problèmes kantiens*〔『カント的諸問題』〕, Vrin, 1970. やアレクシス・フィロネンコのより完全な著作である *L'œuvre de Kant*〔『カントの著作』〕, 2 volumes, Vrin, 1975 et 1981. を挙げておく。

メーヌ・ド・ビランについては、アンリ・グイエの *Maine de Biran par lui-même*〔『彼自身によるメーヌ・ド・ビラン』〕, Seuil, coll.《Écrivains de toujours》, 1970. を挙げておく。

ヘーゲルについては、フランソワ・シャトレの *Hegel*〔『ヘーゲル』〕, Seuil, coll.《Écrivains de toujours》, 1968. とアランの「ヘーゲル」(『イデー——哲学入門』渡辺秀訳、白水社、所収)を挙げておく。

オーギュスト・コントについては、アランの『オーギュスト・コント』(『イデー——哲学入門』渡辺秀訳、白水社、所収)と、ジャック・ムグリオニの *Auguste Comte, Un philosophe pour notre temps*〔『オーギュスト・コント——現代の哲学者』〕, Kimé, 1995. を挙げておく。

キルケゴールについては、ジョルジュ・ギュスドルフの *Kierkegaard*〔『キルケゴール』〕, Seghers, coll.《Philosophes de tous les temps》, 1963. を挙げておく。

ショーペンハウアーについては、ディディエ・レイモンの *Schopenhauer*〔『ショーペンハウアー』〕, Seuil, coll.《Écrivains de toujours》, 1979. と、クレマン・ロセの *Schopenhauer, Philosophe de l'absurde*〔『ショーペンハウアー——不条理の哲学者』〕, PUF, 1967. を挙げておく。

マルクスについては、その哲学にかんする最良の入門書は、エンゲルスの『フォイエルバッハ論』（松村一人訳、岩波文庫）であろう。

ニーチェについては、ドゥルーズの『ニーチェ』（湯浅博雄訳、ちくま学芸文庫）を挙げておく（この書物と、同じ著者による『ニーチェと哲学』とを混同しないように。後者は大著であって、いささかも入門書ではない）。さらには、ジャン・グラニエの『ニーチェ』（須藤訓任訳、文庫クセジュ、白水社）や、クレマン・ロセの《Notes sur Nietzsche〔「ニーチェにかんするノート」〕》, dans *La force majeure*〔『不可抗力』〕, Éditions de Minuit, 1983. がある。おそらくこれら三つをすべて読むのが最善かもしれない。そうすれば、この把握する天才であると同時に把握しがたい哲学者についてのほぼ完全でおよそ正確な理解が得られるだろう。

フッサールと現象学については、最初に読まれるべきは、サルトルのとても美しくとても短いテクストである「フッサール現象学の根本的理念――志向性」（白井健三郎訳『シチュアシオン』第一巻、人文書院）であろう。つぎに、リオタールの『現象学』（高橋允昭訳、文庫クセジュ、白水社）、さらにジャン＝トゥーサン・ドゥサンティの *Introduction à la phénoménologie*〔『現象学入門』〕, Gallimard, rééd. coll.《Idées》, 1976. を挙げておく。

ベルクソンについては、ジャンケレヴィッチの『アンリ・ベルクソン』（阿部一智・桑田禮彰訳、新評論）と、ドゥルーズの『ベルクソンの哲学』（宇波彰訳、法政大学出版局）を挙げておく。

アランについては、入門書はとばしてかまわないが、『プロポ』（山崎庸一郎訳、みすず書房）のなかに閉じこめられないように気をつけたほうがよい。アランの真の主著は、『ラニョーの思い出』（中村弘訳、筑摩書房）、『わが思索のあと』（田島節夫訳、白水社）、『神々』（井沢義雄訳、彌生書房）、*Entretiens au bord de la mer*〔『海辺の対話』〕（この順序で読むのがよいだろう）などだ。どうしても入門書をというひとには、昔から変わらず最良のものとして、ジョルジュ・パスカルの *Pour connaître la pensée d'Alain*〔『アランの思想を知るために』〕, Bordas, rééd.（sous le titre *La pensée d'Alain*〔『アランの哲学』橋田和道訳、吉夏社〕）par l'Association des Amis d'Alain, Bulletin No.87, 1999. をお勧めしておく。

ラッセルについては、『私の哲学の発展』（野田又夫訳、みすず書房。この書の終わりには、アラン・ウッドによる簡潔な『ラッセル哲学の発達についての試論』が付されており、これから読みはじめるのがよいだろう）を挙げておく。

ウィトゲンシュタインについては、ジル＝ガストン・グランジェの *Wittgenstein*〔『ウィトゲンシュタイン』〕, Seghers, 1969. や、ジャック・ブーヴェルスの *Wittgenstein: la rime et la raison*〔『ウィトゲンシュタイン——韻律と理性』〕, Éditions de Minuit, 1973. を挙げておく。

ハイデガーについては、フランソワ・ダストゥールの *Heidegger et la question du temps*〔『ハイデガーと時間の問い』〕, PUF, 1990. を挙げておく。

サルトルについては、彼の哲学への入門書を書こうなどということを企てる者はもういないだろう。疑いもなく『実存主義とは何か』（伊吹武彦・海老坂武他訳、人文書院）が、哲学における彼の主著である『存在と無』（松浪信三郎訳、人文書院）への最良の通路であろう。もちろん、そのほかにも読むに値するものはある。小説における主著としては、『嘔吐』（白井浩司訳、人文書院）が挙げられるが、この書もページ毎に哲学が論じられていると言ってよい。

ポパーについては、サルトルのばあいと同様、ただし精神においてはだいぶ異なるが、一人称で書かれた最良の入門書『果てしなき探究——知的自伝』（森博訳、岩波書店）がある。

シモーヌ・ヴェイユについては、直接に『重力と恩寵』（田辺保訳、ちくま学芸文庫）を読むことをお勧めする。それでも入門書をお望みの向きには、ぼくが知る最良の一冊として（ただ、残念なことに入手しにくいが）、ガストン・ケンプフナーの *La philosophie mystique de Simone Weil*〔『シモーヌ・ヴェイユの神秘哲学』〕, La Colombe, 1960. を挙げておく。

哲学史については？　もっとも短く、それでいて最良のものは、アランが点字用にまとめた *Abrégés pour les aveugles*〔『小さな哲学史』橋本由美子訳、みすず書房〕であろう。この書は、残念なことに、ぼくの知るかぎりでは、プレイアード版の *Les passions et la sagesse*〔『情熱と叡智』〕, 1960, p.787 à 843. でしか読めない。ただ、この書はすばらしいものだが、どうしても省略箇所も多いので、同じ著者による『哲学者についてのプロポ』や『イデー――哲学入門』（渡辺秀訳、白水社）。プラトン、デカルト、ヘーゲル、コントが扱われていて、相当な読みごたえがある）を読めば、それを補うことができるだろう。だからといって、もっと完全でボリュームのある真の哲学史を読みあるいはめぐってみる手間が省けるわけではない。その点ですばらしい著作として、ブレイエの哲学史（PUF. coll.《Quadrige》）や、ブリス・パランとイヴォン・ベラヴァルによる三巻本のもの（Pléiade）や、シャトレによる八巻本のもの（『シャトレ哲学史』白水社）、もっと最近のものとしては（古代と中世を担当した）ランブロ・クールーバリツィストと（近・現代を担当した）ジャン＝ミシェル・ベスニールによる二冊からなるもの（Grasset）が挙げられるし、さらにはデニ・ユイスマンによるきわめて有用な記念碑的著作 *Dictionnaire des philosophes*〔『哲学辞典』〕, PUF. や、さらに使いやすい体裁になっているEncyclopædia Universalis の諸論文を集めたもの（*Dictionnaire des* *philosophes*〔『哲学辞典』〕, Albin Michel, 1998.）も忘れるわけにはゆかない。とりわけリセの最終学年の学生に向けた入門書として、もっとも近づきやすい哲学史だと思われるのは、レオン＝ルイ・グラートループが監修した *Les Philosophes de Platon à Sartre*〔『プラトンからサルトルまでの哲学者』〕, Hachette, 1985, rééd. Le Livre de Poche, 1996, 2 volumes. だ。さらにこれを補うものとして、ローラン・ジャフロとモニク・ラブリュンヌの監修による *Gradus Philosophique*〔『哲学辞典』〕, G.-F., 1994. が挙げられる。つぎの段階としては、ジャン・ハーシュのきわめて注目に値する著作 *L'étonnement philosophique, Une histoire de la philosophie*〔『哲学的驚き――ひとつの哲学史』〕, Gallimard, coll.《Folio-Essais》, rééd. 1993. を活用するのがよいだろう。とくにドイツ観念論にかんしては、いくつもの特殊な問題を提起するものだから、ジャック・リヴレグの二巻本 *Leçons de métaphysique allemande*〔『ドイツ形而上学の教え』〕, Grasset, 1990 et 1992. によって、その特殊性をはっきりさせておく必要があるだろう。最後に、つねにたちもどられるべきギリシア思想にかんしては、モニク・カント＝スペルベルの監修のもとに集団で書かれた重要な著作 *Philosophie grecque*〔『ギリシア哲学』〕, PUF, coll.《Premier cycle》, 1997.（現代の最高の専門家たちが参加している）を推薦するにとどめたい。

教科書については？　ぼくの知るかぎりではよいものはないが、あえて挙げるなら、本来教科書とは言えないが、アランの *Éléments de philosophie*〔『哲学初歩』〕, Gallimard, rééd. coll.《Folio-Essais》, 1990. くらいだ。精神はまったく異なっているし、もはや教科書というレベルでもないのだが、ドニ・カンブーフナーによる分厚い三巻本 *Notions de philosophie*〔『哲学の諸概念』〕, Gallimard, coll.《Folio-Essais》, 1995. を読めば、得るところは大きい（が、必要な努力も大きい）だろう。

辞書については？　ラランドの編集したものは、いまなお有用であり、いくつかの面では乗りこえられていない（*Vocabulaire technique et critique de la philosophie*〔『専門的批判的哲学辞典』〕, Alcan, 1926, rééd. PUF, coll.《Quadrige》, 1991.）。シルヴァイン・オーローが監修した記念碑的な *Les notions philosophiques*〔『哲学の諸概念』〕, PUF, 1990. も、これに劣らず啓発的であり、論文の出来にもよるが、ときとしてまさっている（じつのところこれは、辞書というよりは百科事典なのだが）。そうは言っても、この二冊はなんらかの哲学的教養を読者に要求するものであり、とりわけ後者は、より高度な哲学的教養を要求する。幸いにも、これほど野心的でも内容豊かでもない辞書はいくつもあるし、初心者にはそうしたもののほうが有用だろう。これはとりわけ、ジャックリーヌ・ラスの *Dictionnaire de philosophie*〔『哲学辞典』〕, Bordas, 1991. に当てはまる。最後に指摘しておきたいが、ヴォルテールの賞賛に値する『哲学辞典』（高橋安光訳、法政大学出版局）はじつは辞書ではないし（じっさいこの書には定義はふくまれていない）、出来はすばらしいがあまりに大雑把なアランの『定義集』（森有正訳、みすず書房）もそうではない（しかも、ぼくの記憶ちがいでなければ、この書はプレイアード版の *Les arts et les dieux*, 1958. にははいってない）。ぼくは長らく、この二冊と同じくらい自由で個人的だが、前者よりしっかりと定義をおこない、後者よりもっと詳細な『哲学辞典』を書くことを夢見てきた。それも、もう夢ではなくなってきた。じっさいにその作業を進めているところだ〔コント＝スポンヴィルがひとりですべての執筆をこなした『哲学辞典』は、二〇〇一年にＰＵＦより出版されている〕。

日本の読者のための入門書案内

原書につけられている入門書案内がフランス人の読者を念頭に置いたものであることを考慮して、日本の読者へ向けての補足として、入門書レベルのものを中心に、日本語で読め、しかも信頼の置けると思われる著作を、訳者の判断でいくつか紹介しておきたいと思う。

教科書ないし通史として

『哲学初歩』斎藤信治、東京創元社
哲学が十分に平易な言葉で語りうるものであることを示してくれた、哲学入門の古典的名著。

『反哲学史』木田元、講談社学術文庫
哲学史家としてのハイデガーの仕事を踏まえつつ、特殊ヨーロッパ的思考としての哲学の歴史を簡潔にたどっている。

『現代の哲学』木田元、講談社学術文庫
前著と対をなすかたちで、われわれにとっての同時代である二十世紀の哲学思想のひろがりを要領よく教える。

個別の思想について

「ギリシア人の悲劇時代における哲学」塩屋竹男訳『ニーチェ全集』第二巻、ちくま学芸文庫
一口にギリシア哲学といっても、プラトン以前と以後とのあいだにはっきりと切断線が引かれていることをあきらかにしてみせた、古典文献学者としてのニーチェの業績。

『ソクラテス以前の哲学者』廣川洋一、講談社学術文庫
こんにちではフォアゾクラティカーという名称のもとに一括される思想家たちの思索の多様なひろがりを手際よく整理してくれている。

『ソフィスト』田中美知太郎、講談社学術文庫
以前はソクラテスの敵役くらいにしか扱われることのなかったソフィストたちの思想の特徴をみごとに描きだした古典。

『ソクラテス』田中美知太郎、岩波新書
ソクラテスのひとと思想を平易なことばでまとめてくれている。

『プラトン』斎藤忍随、講談社学術文庫
多岐にわたるプラトンの思想が手際よく整理されている。同じ著者による同じ表題の書物が岩波新書から出ているが、そちらも初学者にお勧めしたい。

『プラトン序説』ハヴロック、村岡晋一訳、新書館
メディア論という今日的な問題意識からプラトンを読みなおそうとする刺激的な試み。

『書物としての新約聖書』田川建三、勁草書房
キリスト教学に精通した著者による新約聖書への入門書として、やや大部であり値も張るが、興味のあるひとにお勧めしたい。

『〈個〉の誕生――キリスト教教理をつくった人びと』坂口ふみ、岩波書店

三位一体の思想の形成期に焦点を絞って、あの時代に演じられた思想のドラマをみごとに描きだしており、ほかに類書がない。

『デカルト』野田又夫、岩波新書
デカルトの思想を簡潔な筆致で語ってくれている。同じ著者による『パスカル』（岩波新書）もあわせてお勧めしたい。

『デカルトとパスカル』森有正、筑摩書房
なにかにつけて対比的に語られることの多いデカルトとパスカルの思想的関係を扱った日本人の著者による古典的名著。

『ドイツ古典哲学の本質』ハイネ、伊東勉訳、岩波文庫
詩人として知られるハイネが、難解で知られるドイツ観念論の思想を要領よく整理してくれており、一読に値する。

『カント』岩崎武雄、勁草書房
安易な要約を許さないカント哲学の骨組をわかりやすく伝えてくれる著作。

『シェリング講義』ハイデガー、木田元・迫田健一訳、新書館
いまだに十分に解明されたとは言いがたい中期以降のシェリングの思想を、シェリング自身が生前最後に公刊した著作である『人間的自由の本質』を中心に、「自由の体系」という観点から読みといてみせたハイデガーの名講義のひとつ。

『ヘーゲルからニーチェへ』レーヴィット、三島憲一訳、岩波文庫
十九世紀思想史についての古典的研究のひとつ。

『ヘーゲルの歴史意識』長谷川宏、講談社学術文庫

近年、一連の読みやすいヘーゲルの翻訳で知られる著者の若き日の労作。

『ニーチェ』ハイデガー、細谷貞雄監訳、平凡社ライブラリー

ニーチェの「哲学」を語る可能性を開いてみせた記念碑的講義であり、哲学史家としてのハイデガーの卓抜な手腕が存分に発揮されている。

『精神分析学入門』フロイト、懸田克躬訳、中公文庫

無意識という新しい扉を開いた精神分析の創始者フロイトが一般向けにおこなった講義であるために、きわめて読みやすく面白い。

『神話と科学』上山安敏、岩波現代文庫

十九世紀末から二十世紀初頭にかけての最近の思想史研究として出色の一冊。

『二十世紀思想渉猟』生松敬三、岩波現代文庫

同じく二十世紀初頭を扱った日本人の手になる思想史研究の古典。

『現象学』木田元、岩波新書

フッサールからハイデガーを経てサルトル、メルロ＝ポンティへと通ずる現象学の流れを明快に腑分けし、現象学という思想の核心と可能性とを平易な文章でつづる。

『デカルト的省察』フッサール、浜渦辰二訳、岩波文庫

現象学の創始者フッサール自身がパリでおこなった講演をもとにした著作であり、成熟期の現象学の姿をわかりやすく伝えてくれる。

『シンボル形式の哲学』カッシーラー、木田元・生松敬三・村岡晋一訳、岩波文庫

博学で知られる著者の代表的研究のひとつであり、二十世紀の哲学を代表するキーワードである言語ないしシンボルという概念のひろがりがみごとに押さえられている。

『形而上学入門』ハイデガー、川原栄峰訳、平凡社ライブラリー
ハイデガーとナチズムの関係を語るときに必ず引きあいに出される講義だが、ギリシア思想にたいするハイデガーのスタンスを伝えてくれるものとしてもとても参考になる。
『啓蒙の弁証法』ホルクハイマー＋アドルノ、徳永恂訳、岩波書店
通常は文明の進歩の旗印とされる啓蒙が、そのうちに野蛮を内包せざるをえないものであることをあますところなく論じきったフランクフルト学派を代表する古典の一冊。
『倫理学ノート』清水幾太郎、講談社学術文庫
二十世紀初頭のイギリスを舞台に、分析哲学形成期の思想ドラマをみごとに描いてくれており、読みものとして面白い。
『ウィトゲンシュタインのウィーン』ジャニク＋トゥールミン、藤村龍雄訳、平凡社ライブラリー
難解で知られるウィトゲンシュタインの思想を、彼が生きたウィーンという背景のなかにおくことで新しい光をあててみせた思想史的研究の古典。
『言語行為の現象学』野家啓一、勁草書房
科学哲学と現象学という二つの領域を自在に行き来する著者の論文集。
『弁証法的想像力』マーティン・ジェイ、荒川幾男訳、みすず書房
アメリカの優れた思想史家によるフランクフルト学派研究の古典。
『ソシュールの思想』丸山圭三郎、岩波書店
構造主義の祖とされるソシュールの思想の全体像を、原資料をも駆使してあきらかにしてくれた日本人による研究の古典。

『寝ながら学べる構造主義』内田樹、文春新書
一九六〇年代に隆盛を極めた構造主義という思想の核心をわかりやすく伝えてくれる。
『奇想天外・英文学講義』高山宏、講談社選書メチエ
近代ヨーロッパのあらゆる領域を神出鬼没、縦横無尽に往還する著者の出自をあかしてくれる出色の一冊。
『カルチュラル・スタディーズ』吉見俊哉、岩波書店
近年注目を集めているカルチュラル・スタディーズの思想を、その原点であるイギリスでの展開に的を絞って要領よく紹介してくれている。
『先生はえらい』内田樹、ちくまプリマー新書
永年教壇に立っていた筆者の教育論の核心をわかりやすく述べてくれている。
『科学論入門』佐々木力、岩波新書
日本を代表する科学史家の手になる本書は、科学史にかかわる記述から脳死や環境問題までをも視野に収めた、読みごたえのある入門書になっている。
『死と身体』内田樹、医学書院
二十一世紀にはいってから驚くべき数の著書を送りだしている著者の哲学の核心を伝えてくれる一冊。

辞典ないし辞書として

『コンサイス20世紀思想事典』木田元・丸山圭三郎・栗原彬・野家啓一編、三省堂
激動の時代であった二十世紀とはなんであったのかを思想の面からふりかえった事典で

あり、興味の赴くままに読んでいるだけでも楽しめる。

『現象学事典』木田元・野家啓一・村田純一・鷲田清一編、弘文堂

二十世紀のはじまりとともに産声をあげた現象学は、哲学のみならず社会学や精神医学、心理学といった多様な領域に影響を与えつつ、二十世紀の思想動向を主導していった思想運動だ。そのひろがりをまとめた、日本で編集された初の現象学の事典。

『西洋思想大事典』平凡社

アメリカの思想家アーサー・ラヴジョイが中心となって創設された「観念史クラブ」の活動をまとめあげた大部の著作。関心に応じて好きな項目を拾い読みするだけで楽しい。

【ヤ行】

【ラ行】

【サ行】

【カ行】

人名索引

【ア行】

本書は、二〇〇二年一〇月、紀伊國屋書店より刊行されました。

哲学《てつがく》はこんなふうに

二〇二二年一二月一〇日　初版印刷
二〇二二年一二月二〇日　初版発行

著　者　アンドレ・コント＝スポンヴィル
訳　者　木田元《きだげん》／小須田健《こすだけん》／コリーヌ・カンタン
発行者　小野寺優
発行所　株式会社河出書房新社
〒一五一－〇〇五一
東京都渋谷区千駄ヶ谷二－三二－二
電話〇三－三四〇四－八六一一（編集）
〇三－三四〇四－一二〇一（営業）
https://www.kawade.co.jp/

ロゴ・表紙デザイン　粟津潔
本文フォーマット　佐々木暁
本文組版　KAWADE DTP WORKS
印刷・製本　中央精版印刷株式会社

Printed in Japan　ISBN978-4-309-46772-6

哲学とは何か

G・ドゥルーズ／F・ガタリ　財津理〔訳〕　46375-9

ドゥルーズ＝ガタリ最後の共著。内在平面―概念的人物―哲学地理によって哲学を総括し、哲学―科学―芸術の連関を明らかにする。限りなき生成／創造へと思考を開く絶後の名著。

哲学史講義　I

G・W・F・ヘーゲル　長谷川宏〔訳〕　46601-9

最大の哲学者、ヘーゲルによる哲学史の決定的名著がついに文庫化。大河のように律動、変遷する哲学のドラマ、全四巻改訳決定版。『I』では哲学史、東洋、古代ギリシアの哲学を収録。

哲学史講義　II

G・W・F・ヘーゲル　長谷川宏〔訳〕　46602-6

自然とはなにか、人間とはなにか、いかに生きるべきか――二千数百年におよぶ西洋哲学を一望する不朽の名著、名訳決定版第二巻。ソフィスト、ソクラテス、プラトン、アリストテレスらを収録。

哲学史講義　III

G・W・F・ヘーゲル　長谷川宏〔訳〕　46603-3

揺籠期を過ぎた西洋哲学は、ストア派、新プラトン派を経て中世へと進む。エピクロス、フィロン、トマス・アクィナス……。哲学者たちの苦闘の軌跡をたどる感動的名著・名訳の第三巻。

哲学史講義　IV

G・W・F・ヘーゲル　長谷川宏〔訳〕　46604-0

デカルト、スピノザ、ライプニッツ、そしてカント……など。近代の哲学者たちはいかに世界と格闘したのか。批判やユーモアとともに哲学のドラマをダイナミックに描き出すヘーゲル版哲学史、ついに完結。

喜ばしき知恵

フリードリヒ・ニーチェ　村井則夫〔訳〕　46379-7

ニーチェの最も美しく、最も重要な著書が冷徹にして流麗な日本語によってよみがえる。「神は死んだ」と宣言しつつ永遠回帰の思想をはじめてあきらかにしたニーチェ哲学の中核をなす大いなる肯定の書。

知の考古学

ミシェル・フーコー　慎改康之〔訳〕　46377-3

あらゆる領域に巨大な影響を与えたフーコーの最も重要な著作を気鋭が42年ぶりに新訳。伝統的な「思想史」と訣別し、歴史の連続性と人間学的思考から解き放たれた「考古学」を開示した記念碑的名著。

ウンベルト・エーコの文体練習［完全版］

ウンベルト・エーコ　和田忠彦〔訳〕　46497-8

『薔薇の名前』の著者が、古今東西の小説・評論、映画、歴史的発見、百科全書などを変幻自在に書き換えたパロディ集。〈知の巨人〉の最も遊戯的エッセイ。旧版を大幅増補の完全版。

なぜ古典を読むのか

イタロ・カルヴィーノ　須賀敦子〔訳〕　46372-8

卓越した文学案内人カルヴィーノによる最高の世界文学ガイド。ホメロス、スタンダール、ディケンズ、トルストイ、ヘミングウェイ、ボルヘス等の古典的名作を斬新な切り口で紹介。須賀敦子の名訳で。

14歳からの哲学入門

飲茶　41673-1

「なんで人殺しはいけないの？」。厨二全開の斜に構えた「極端で幼稚な発想」。だが、この十四歳の頃に迎える感性で偉大な哲学者たちの論を見直せば、難解な思想の本質が見えてくる！

史上最強の哲学入門

飲茶　41413-3

最高の真理を求めた男たちの熱き闘い！　ソクラテス・デカルト・ニーチェ・サルトル…さらなる高みを目指し、知を闘わせてきた32人の哲学者たちの論が激突。まさに「史上最強」の哲学入門書！

史上最強の哲学入門　東洋の哲人たち

飲茶　41481-2

最高の真理を求める男たちの闘い第２ラウンド！　古代インド哲学から釈迦、孔子、孟子、老子、荘子、そして日本の禅まで東洋の“知”がここに集結。真理（結論）は体験によってのみ得られる！

哲学の練習問題

西研　41184-2

哲学するとはどういうことか——。生きることを根っこから考えるためのQ＆A。難しい言葉を使わない、けれども本格的な哲学へ読者をいざなう。深く考えるヒントとなる哲学イラストも多数。

生きるための哲学

岡田尊司　41488-1

生きづらさを抱えるすべての人へ贈る、心の処方箋。学問としての哲学ではなく、現実の苦難を生き抜くための哲学を、著者自身の豊富な臨床経験を通して描き出した名著を文庫化。

集中講義 これが哲学！ いまを生き抜く思考のレッスン

西研　41048-7

「どう生きたらよいのか」——先の見えない時代、いまこそ哲学にできることがある！　単に知識を得るだけでなく、一人ひとりが哲学するやり方とセンスを磨ける、日常を生き抜くための哲学入門講義。

ツイッター哲学

千葉雅也　41778-3

ニーチェの言葉か、漫画のコマか？　日々の気づきからセクシュアリティ、社会問題までを捉えた、たった140字の「有限性の哲学」。新たなツイートを加え、著者自ら再編集した決定版。松岡正剛氏絶賛！

ニーチェと哲学

ジル・ドゥルーズ　江川隆男〔訳〕　46310-0

ニーチェ再評価の烽火となったドゥルーズ初期の代表作、画期的な新訳。ニーチェ哲学を体系的に再構築しつつ、「永遠回帰」を論じ、生成の「肯定の肯定」としてのニーチェ／ドゥルーズの核心をあきらかにする著。

暴力の哲学

酒井隆史　41431-7

人はなぜ暴力を憎みながらもそれに魅せられるのか。歴史的な暴力論を検証しながら、この時代の暴力、希望と危機を根底から考える、いまこそ必要な名著、改訂して復活。